DESIGN MY PRIVACY

Tijmen Schep

D0682178

BISPUBLISHERS

"The worst thing about being famous is the invasion of your privacy"

—Justin Timberlake

INHOUDSOPGAVE

CHA
STORAG

HET PROBLEEM
IS VAN IEDEREEN

Mieke Gerritzen
directeur MOTI, Museum of the Image

Het lijkt soms alsof je computer precies weet wat jouw
wensen zijn of waarnaar je op zoek bent. We klikken, liken
en appen er ijverig op los. Het internet weet precies wie
we zijn en biedt ons allerhande gratis informatie. Maar
niet alleen de computer bedient ons, ook andere machines
beginnen tegen je te praten als ze worden gebruikt. Het
lijkt allemaal fantastisch. Maar achter de slimme producten
en diensten zitten overheden en grote multinationals die
dicteren hoe we moeten leven, wat we mogen eten, hoeveel
stappen we zetten per dag of welke keuzes we maken. Ze
leggen je gedrag vast en verzamelen jouw persoonlijke
gegevens.

Het is nog maar het begin van ons genetwerkte leven,
dat gestuurd wordt door de grootmachten die de wereld
draaiende houden. Als we niets doen heb je straks alleen
privacy als je ervoor kunt betalen. En niet als je voordelig
uit wilt zijn in de supermarkt, goedkoop een huis wilt
huren of met het openbaar vervoer reist en veel via de
gratis sociale media communiceert. We volgen en we
worden gevolgd. We worden bespioneerd en dat voelt
onprettig. De techniek achter de slimme producten en
systemen is zo complex dat het moeilijk is om te begrijpen
wat de gevolgen zijn voor het alledaagse leven.

Met deze Design My Privacy gids willen we
ontwerpers en kunstenaars inspireren en ertoe aanzetten
te gaan ontwerpen voor privacy kwesties. De creatieve
visuele denkers moeten gaan samenwerken met

technische programmeurs, of zelf leren programmeren, zodat niet de techniek bepalend is, maar gemak en gebruiksvriendelijkheid. Het doel is om privacy toegankelijk en zichtbaar te maken en daarmee iedereen, arm en rijk een veilig privéleven te bieden. Designers moeten dus mee gaan denken over het fenomeen transparantie en geheimhouding in het ontwerp van privacy gevoelige producten en diensten. Design My Privacy laat zien hoe creativiteit een bijdrage kan leveren aan de privacy zaken die nu spelen.

Dit handige boekje biedt designers en kunstenaars handvatten in de vorm van 8 designprincipes die helpen bij het ontwerpen van producten en diensten waar technologie bepalend is. Naast handige designtips is het boekje een mooie introductie in de wereld van privacyvraagstukken. Ook als je er niet veel van weet, geeft Tijmen Schep, de auteur, met veel voorbeelden een goed inzicht in de kwesties en de problematiek. Het zijn de beeldmakers die nu aan zet zijn op weg naar een veilige wereld. Want onze privacy staat onder druk.

PRIVACY QUIZ 1/2

Welke van deze beweringen is waar, en welke zijn (vooralsnog) sciencefiction? Omcirkel het antwoord dat je het meest waarschijnlijk lijkt.

---

1   Slimme horloges en fitness-armbanden vangen de bewegingen van je pols op tijdens het typen. Deze bewegingen zijn te herleiden tot woorden die je hebt ingetypt.

        WAAR   NIET WAAR

---

2   Criminelen kunnen van sommige auto's op afstand de motor uitzetten.

        WAAR   NIET WAAR

---

3   Criminelen kunnen sommige pacemakers op afstand uitzetten en de eigenaren daarmee chanteren.

        WAAR   NIET WAAR

---

4   De lijst 'terms and conditions' waarmee je als iPhone-gebruiker akkoord gaat, is langer dan Shakespeare's toneelstuk Much Ado About Nothing.

        WAAR   NIET WAAR

---

5   Een aantal koelkasten heeft op grote schaal spam verzonden.

        WAAR   NIET WAAR

PRIVACY QUIZ 2/2

---

6   De FBI kan op afstand de microfoons van mobiele
     telefoons activeren opdat medewerkers kunnen
     meeluisteren naar gesprekken.

                 WAAR   NIET WAAR

---

7   Een boze ex zette 's nachts op afstand de verwarming uit
     in het huis van zijn ex-vriendin en haar nieuwe geliefde.

                 WAAR   NIET WAAR

---

8   Wanneer je een hypotheek niet op tijd betaalt, kunnen in
     sommige gevallen de verwarming en de verlichting van
     het huis worden uitgeschakeld.

                 WAAR   NIET WAAR

---

9   Een 3-jarig jongetje durfde niet te slapen omdat hij rare
     stemmen hoorde in zijn slaapkamer. Dit bleek de stem te
     zijn van een man die via het internet toegang had tot de
     babymonitor.

                 WAAR   NIET WAAR

PRIVACY QUIZ 1/2

Antwoorden

1   WAAR: Onderzoekers van de Universiteit van Illinois hebben in 2015 een eerste proefopstelling gemaakt, genaamd MoLe[1]. Hoewel ze niet alle woorden konden achterhalen, was hiermee wel aangetoond dat dit een probleem zou kunnen worden.

2   WAAR: Sommige modellen van de Jeep Cherokee kunnen verregaand worden gehackt[2]. Een soortgelijke 'auto-hack–demonstratie' vond al plaats in 2011, maar kreeg pas in 2015 wereldwijde aandacht toen Charlie Miller en Chris Valasek, thuis vanaf de bank, niet alleen (terwijl de auto op de snelweg reed) de motor van de Jeep uitzetten, maar ook het stuur overnamen en hiphop door de muziekinstallatie lieten schallen.

3   NIET WAAR: Op het moment van schrijven heeft zich nog geen geval van pacemaker-chantage voorgedaan, maar experts verwachten dat die in 2016 voor het eerst zal plaatsvinden[3].

4   NIET WAAR: Het genoemde werk van Shakespeare telt 22.323 woorden. De Privacy Policy van Apple bevatte in juni 2015 precies 21.586 woorden[4].

5   NIET WAAR: In 2013 claimden experts een 'bot net' (een groep door hackers overgenomen computers die op afstand kunnen worden misbruikt om weer andere misdaden mogelijk te maken) te hebben ontdekt dat op grote schaal spam verzond[5]. Volgens de onderzoekers

PRIVACY QUIZ 2/2

maakten ook enkele slimme koelkasten deel uit van het netwerk. Volgens andere experts waren het waarschijnlijk toch Windows PC's die de spam hadden verstuurd[6].

6   WAAR: Volgens een anonieme klokkenluider kan de FBI de microfoons van Android telefoons op commando activeren[7].

7   WAAR(SCHIJNLIJK): De man claimt dat, wanneer zijn ex weekendjes wegging met haar nieuwe vriend, hij de verwarming op afstand op de hoogste stand zette (en op tijd weer uit), opdat ze een hoge energierekening zou krijgen[8].

8   NIET WAAR: Het gebeurt in Amerika al wel veelvuldig met auto's, waarbij de auto niet meer start wanneer je te laat bent met het betalen van de maandelijkse aflossing[9].

9   WAAR: Ook babymonitors blijken helaas slecht beveiligd[10].

DISRUPT TRACKING, DANCE DATA: DO THE CRYPTO WALK.

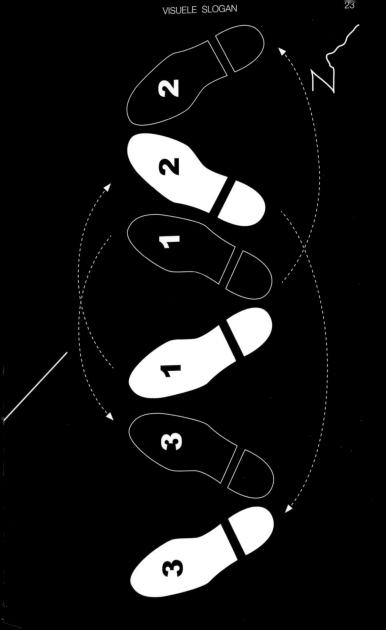

INLEIDING

In een wereld vol smartphones, sociale netwerken en andere met het internet verbonden technologieën lijkt het soms een hopeloze strijd om privacy te willen waarborgen. Mark Zuckerberg, de oprichter van Facebook, zette de toon tijdens een conferentie in 2010, door privacy als een verouderd begrip te beschrijven:

> *"People have really gotten comfortable not only sharing more information and different kinds, but more openly and with more people. That social norm is just something that has evolved over time."*

—Mark Zuckerberg bij de Crunchie Awards in 2010[11]

De laatste jaren lijkt er gelukkig een hernieuwde interesse te ontstaan in privacy en het waarborgen ervan. Schrijvers, journalisten, onderzoekers en activisten hebben, mede dankzij allerlei schandalen en data-lekken, steeds beter de enorme waarde van privacy kunnen verwoorden. Ook steeds meer burgers houden zich bezig met het privacyvraagstuk. Ze bezoeken Privacy Café's en installeren adblockers en anti tracking tools. Wie zich erin verdiept, ziet dat de toekomst die Zuckerberg voorzag geen voldongen feit is. Steeds meer partijen, waaronder Facebook zelf, vragen zich af: hoe kunnen we onze privacy in het digitale tijdperk beter beschermen?

Deze vraag wordt steeds relevanter omdat technologie meer en meer met onze alledaagse omgeving wordt verweven. Tandenborstels, kleding, auto's, huizen, hele steden: ze worden allemaal 'smart' en aan de 'cloud' gekoppeld. Er wordt wel gesproken over de opkomst van een 'Internet of Things', waarin alle apparaten om ons heen met het internet verbonden zijn en onderling met elkaar communiceren.

Deze ontwikkeling roept allerlei vragen op die voornamelijk door ICT experts worden behandeld. Maar het is niet voldoende als alleen technici de vragen die voortvloeien uit technologische ontwikkelingen kunnen beantwoorden. Naast ICT'ers moeten ook architecten, kledingontwerpers, pottenbakkers, grafici en koks, eigenlijk iedereen die producten of diensten ontwerpt, antwoord kunnen geven op de vraag: Hoe maken we onze omgeving zowel slim als privacyvriendelijk?

In dit boekje wijzen we ontwerpers op enkele bruikbare designprincipes die zijn ontstaan in de voorhoede van de digitale ontwerpwereld. De principes zijn een destillaat van jaren discussie, van sessies met professionals, vele verschenen boeken, onderzoeken, visies en hedendaagse design-manifesten.

Data is goud?

Privacy Design, een sterk opkomend vakgebied dat deze vraagstukken onderzoekt, zit in de lift. De aanjager is het gemak waarmee tegenwoordig data kan worden verzameld. Dit komt, onder andere, omdat de benodigde technologie zo snel goedkoper wordt.

Neem bijvoorbeeld een bewegingssensor, te vinden in een smartphone of de Nintendo Wii controller. Tien jaar geleden waren deze apparaten erg duur en relatief zeldzaam. Nu kosten ze nog maar een paar cent en worden standaard meegeleverd in de chips van bijna ieder mobiel apparaat.

Het koppelen van apparaten aan het internet wordt eveneens steeds goedkoper. Draadloze netwerken maken het eenvoudig om een apparaat continu verbonden te laten en de industrie ontwikkelt allerlei manieren om dit steeds eenvoudiger en goedkoper te maken. Hetzelfde geldt voor de opslag van al die data. In 1980 kostte een gigabyte aan opslag 200.000 euro, in 2000 was dat 10 euro en nu kost het maar 2 cent[12].

Kortom: de kostprijs is geen reden meer om iets niet op het internet aan te sluiten. Daarmee is een natuurlijke barrière, die onze privacy beschermde, verdwenen.

VOORBEELD

Withings Smart Body Analyzer weegschaal
Een weegschaal die je gewicht online bijhoudt.
Je kunt statistieken bijhouden over je gewichtstoename of -verlies, en deze informatie delen op social media.

Het gevolg is dat veel van onze dagelijkse bezigheden op de
één of andere manier worden geregistreerd. Er is een heel
ecosysteem ontstaan van partijen die data sprokkelen en
bewaren: van marketingbedrijven en overheidsinstellingen
tot Russische hackers en zogenaamde 'data brokers'. Dit
zijn bedrijven die hun geld verdienen door data over
mensen te verzamelen en in mooie bruikbare pakketjes
door te verkopen. Als data het nieuwe goud is, lijkt er
sprake van een nieuwe goudkoorts.

→ Big Data, p.120,   → Data brokers, p.123

Voor wie geld wil verdienen op het internet,
is het verzamelen van zoveel mogelijk data een
vanzelfsprekendheid geworden. Beveiligingsexpert
Bruce Schneier vatte het mooi samen: "Surveillance is the
businessmodel of the internet"[13].

→ Boekenlijst, p. 140

Data is echter niet alleen geld waard. Er is een goede
reden waarom data zoveel geld waard is: data is macht.

Data is macht

De vele partijen die data over ons verzamelen, verzamelen letterlijk macht. Wie veel over ons weet, kan die kennis ook gebruiken op manieren die ons niet goed uitkomen. Voor veel mensen zijn de risico's van 'Big Data' helaas nog niet duidelijk.

Je zou kunnen zeggen dat die gevaren op twee terreinen liggen. Het eerste terrein is voor de meeste mensen, als ze het eenmaal meemaken, goed te herkennen: misdaad.

Een bekend en meteen ook het meest schokkende voorbeeld daarvan, zagen we tijdens de Tweede Wereldoorlog. Vóór de oorlog had iedere gemeente een bevolkingsregister waarin precies terug te vinden was tot welk kerkgenootschap iemand behoorde. Handig, totdat bleek dat ook de bezetter via deze registers gemakkelijk kon achterhalen wie er joods was[14]. Het ophalen van joden, werd daardoor eenvoudig een kwestie van 'lijsten afwerken'. De misdaden van de holocaust kunnen we beschouwen als een van de meest gruwelijke collectie misdaden ooit begaan.

Dichterbij ons dagelijks leven komen we allerlei gevallen van identiteitsdiefstal, fraude en chantage tegen. Met behulp van de gelekte ledenlijst van datingwebsite Ashley Madison, een dienst die het eenvoudig maakte om vreemd te gaan, werden na afloop allerlei mensen afgeperst[15]. Dat er een levendige handel in creditcard gegevens is, hebben we langzamaan ook wel door. Deze negatieve gevolgen van de opkomst van de informatiemaatschappij zijn voor de meeste mensen goed te begrijpen: ze lijken op wat we al kennen.

VOORBEELD

Ashley Madison

In 2015 lekte de ledenlijst van datingwebsite Ashley Madison uit. Deze datingwebsite heeft als doel mensen die willen vreemdgaan met elkaar in contact te brengen. De site had zo'n 30 miljoen leden, waaronder zeker 594 Nederlanders[16]. Door het lek was de lijst online in te kijken, wat flinke gevolgen had. Een onmeetbaar aantal relaties liep op de klippen, minimaal 2 mensen pleegden zelfmoord.

Het tweede gevaar van 'Big Data' ligt niet zozeer op het criminele vlak, maar kan wel grote negatieve gevolgen hebben voor de maatschappij. Technologieën die verregaande personalisering van diensten mogelijk maken, maken ook nieuwe, subtiele vormen van discriminatie mogelijk[17]. Zo komt het steeds vaker voor dat de prijs die iemand voor een verzekering betaalt, wordt vastgesteld op grond van een algoritme dat op basis van bepaalde voorgeprogrammeerde generalisaties een keuze maakt. Bijvoorbeeld: wie in een wijk gaat wonen waar veel mensen hun rekening niet op tijd betalen, zal een hogere premie moeten betalen[18]. Ook bij het vinden van een baan worden in toenemende mate diensten ingezet die aan de hand van slimme algoritmes en allerlei over jou gevonden data een profiel opstellen[19].

Nu zou je kunnen denken: prima, algoritmes zijn waarschijnlijk eerlijker en objectiever dan mensen. Maar is dat zo? Deze algoritmes zijn altijd door iemand met een bepaald doel in elkaar gezet, de data die wordt gebruikt is veelal imperfect. Daarbij: je weet meestal niet dat je door een algoritme beoordeeld bent.

Deze ondoorzichtige systemen krijgen veel macht over ons leven. Er ontstaan 'chilling effects': we passen (vaak zonder het door te hebben) zelfcensuur toe op ons gedrag, omdat 'niet optimaal' gedrag subtiel wordt bestraft.

→ Chilling Effects, p. 122

Het zal je dan ook niet verbazen dat China enorm geïnteresseerd is in deze 'profiling' systemen. Sterker nog, ze gaan ze zelfs verplicht maken: tegen 2020 zal elke burger een 'goed burgerschap score' krijgen, de zogenaamde 'social credit score'[20]. Die score, die wordt gebaseerd op iemands aankopen, strafblad, financiële situatie en online uitingen op sociale media, zal op allerlei manieren invloed hebben op wat iemand kan en mag doen. Voor de gelukkige bezitter van een hoge score, wordt het bijvoorbeeld eenvoudiger om een lening aan te vragen of een visum voor het buitenland te regelen.

Dit is geen vaag toekomstplan. Een eerste versie wordt nu al gebouwd, in samenwerking met megabedrijf Alibaba. Van hen kun je een 'Sesame credit score' krijgen die je aankoopgedrag en je kredietwaardigheid representeert[21].

De grootste datingwebsite van China is al gekoppeld, zodat je kunt zien of je aanstaande date zijn rekeningen wel betaalt en verantwoorde producten koopt. Ook de score van je vrienden zal een rol gaan spelen: hebben je vrienden slechte scores? Dan trekken ze jouw score omlaag. Hierdoor krijgt de score invloed op de relaties die mensen met elkaar aangaan, waardoor deze systemen klassevorming in de hand werken[22]. Er ontstaat zo een nieuwe bron van ongelijkheid: data-discriminatie.

Er lijken twee systemen naast elkaar te ontstaan. Het klassieke systeem waarin data-misdaad door de overheid wordt bestraft met gevangenisstraf. En een nieuw, subtieler systeem waarin 'sub-optimaal gedrag' meetbaar wordt gemaakt, en vervolgens kan worden bijgestuurd door systemen die iets veel sterkers dan geweld mobiliseren: sociale druk[23].

VOORBEELD

Pay As You Drive van Achmea verzekeringen
Sinds 2015 biedt Achmea in Nederland een dienst aan die in Amerika al enige tijd beschikbaar is: Pay as you drive. Achmea geeft korting op de autoverzekering als ze een klein slim kastje in je auto mogen plaatsen dat bijhoudt hoeveel en waarheen je reist. Hoe meer je rijdt, hoe meer je

betaalt. Veel privacy-deskundigen vinden dit een zorgelijke ontwikkeling omdat onze reisdoelen een vorm van persoonlijke informatie zijn. Rijdt de auto van een potentiële Achmea medewerker naar een consultatiebureau? Rijdt een auto langzaam door een straat waar prostituees werken? Rijdt iemand naar het startpunt van een protestmars? Dat is gevoelige informatie.

Met dit toekomstbeeld in het achterhoofd wordt hopelijk duidelijk dat technologie niet vanzelf tot een gelijkwaardiger, menswaardiger wereld leidt. Er zitten nogal wat schaduwkanten aan het bouwen van ons digitale ecosysteem, en daarvan moeten we ons op zijn minst bewust zijn. Laten we data daarom niet langer het 'nieuwe goud' noemen, maar de 'nieuwe olie'. Bij goud hebben de meeste mensen voornamelijk positieve associaties, terwijl we bij olie beter aanvoelen dat er voor- en nadelen aan zitten.

Technologie biedt kortom allerlei kansen en mogelijkheden om onze levens te verbeteren. Data kan processen ook transparanter en eerlijker maken. Maar dan moeten we dat wel heel bewust in die systemen inbouwen. En daar ligt dan ook de crux.

De rol van de ontwerper

Nu data zoveel geld waard aan het worden is en er geen technologische barrières meer zijn die dataverzameling tegenhouden, zullen we als maatschappij bewust barrières moeten opwerpen die dataverzameling en datamisbruik inperken. We zullen ethische grenzen moeten gaan bepalen en juridische dijken opwerpen. In de komende jaren zullen we een breed maatschappelijk debat moeten voeren over deze ontwikkelingen. We kunnen ons daarbij vooruit laten duwen door schandalen, lekken en andere digitale overstromingen, het zogenaamde 'privacy by disaster' model[24]. Maar het zou mooier zijn als we de schaduwkanten zouden zien aankomen en het ontstaan ervan actief tegenwerken: 'privacy by design'. Daarvoor zijn slimme, kritische denkers, kunstenaars, ondernemers, beleidsmakers en burgers nodig.

"Studenten komen naar de HvA om over technologie te leren, maar wat we ze eigenlijk leren begrijpen zijn mensen"

—Koop Reynders,
docent Hogeschool van Amsterdam, 2010

Natuurlijk zullen ook ontwerpers een belangrijke rol gaan spelen. Ontwerpers zijn experts op het gebied van de menselijke maat, menselijke verlangens en menselijk gedrag. Ontwerpers die echt begrijpen wat privacy is, kunnen systemen bouwen die ruimte laten voor onze menselijkheid.

Want als privacy iets is, dan is het wel het recht om imperfect te zijn. Het recht om niet de perfecte burger of consument te worden, maar een grillig mens te blijven.

Dit boek is gericht op ontwerpers in de creatieve industrie, van architecten tot productontwerpers en van modemakers tot webdesigners, die op de vraag naar Internet of Things producten de juiste balans moeten vinden tussen techniek en privacybelangen. De 'slimheid' die tegenwoordig in producten moet worden gelegd, zou meer moeten betekenen dan 'handig' of 'efficiënt'. Slim zou ook 'veilig', 'privacybewust', 'ethisch' en 'maatschappelijk verantwoord' moeten betekenen. En bovenal: 'menselijk'.

IMMERSE YOURSELF

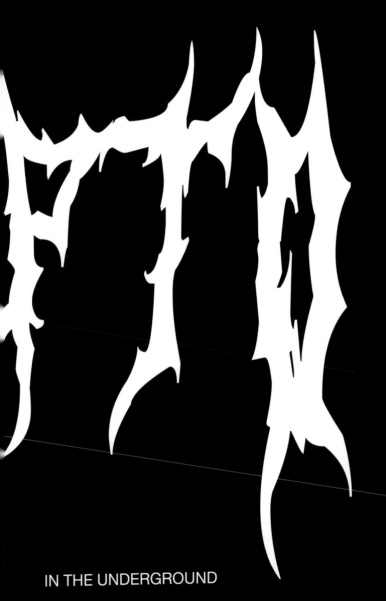

IN THE UNDERGROUND

WAT IS PRIVACY EIGENLIJK?

Privacy is een door de Verenigde Naties erkend mensenrecht. Privacy vormt een belangrijke pijler onder verschillende vrijheden die we in de westerse wereld uiterst belangrijk vinden, zoals de vrijheid van meningsuiting, de vrijheid van samenkomst, en het recht op een goede rechtsgang (wanneer je bijvoorbeeld een privégesprek voert met een advocaat).

Tegelijkertijd blijkt privacy voor veel mensen een moeilijk te vatten begrip. Dat komt door de verschillende manieren waarop privacy gedefinieerd kan worden en door de verschillende belangen en contexten waarin privacy een rol speelt. Laten we eens een aantal verschillende perspectieven op privacy bekijken.

Binnen discussies over de definitie van privacy maakt men vaak onderscheid tussen de waarde van privacy voor het individu en de waarde voor de maatschappij als geheel.

Privacy als recht Om alleen gelaten te worden

Het recht op privacy, dat vlak na de uitvinding van de paparazzi ontstond, werd oorspronkelijk (1890) omschreven als het recht van het individu om alleen gelaten te worden[25]. We gaan ervan uit dat we thuis niet bespioneerd worden en daar geheimen kunnen bewaren, zoals bijvoorbeeld over onze gezondheid of wat we in de slaapkamer doen. Bijna iedereen heeft thuis gordijnen in de slaapkamer. We genieten eigenlijk continu van onze privacy. Het is zo normaal dat we er bijna niet meer bij stil staan.

VOORBEELD

My Little Piece of Privacy

Het interactieve kunstwerk 'My Little Piece of Privacy' van kunstenaar Niklas Roy bestaat uit een klein verticaal gordijntje in een verder groot leeg raam. Wanneer er een voorbijganger langs loopt gaat het kleine gordijntje precies voor hem hangen, zodat hij alsnog niet goed naar binnen kan kijken.

Hoe belangrijk het is om je aan het publieke oog te kunnen onttrekken werd mooi duidelijk in het project Super Stream Me van de VPRO[26]. De makers, Tim den Besten en Nicolaas Veul, hadden gepland dat ze drie weken lang hun hele leven live via het internet zouden uitzenden. Zelfs wanneer ze sliepen of naar de toilet gingen waren ze in beeld en te beluisteren. Er ontstond een brede schare online volgers.

Uiteindelijk maakten ze maar twee weken vol: het was psychisch te zwaar om continu 'de beste versie van jezelf' te moeten spelen. → Panopticon p.127

"Er is een quote van Snowden die zegt: 'Privacy gaat niet om wat je te verbergen hebt, maar om wat je te beschermen hebt'. Dat weet ik nu heel goed."

—Nicolaas Veul, Super Stream Me participant[27].

VOORBEELD

Super Stream Me

Van het Super Stream Me experiment is een documentaire gemaakt die online terug te kijken is. Ook de documentaire 'We Live in Public' – over een vergelijkbaar experiment van dot-com ondernemer Josh Harris - , maakt duidelijk dat mensen privacy nodig hebben om normaal te kunnen functioneren.

Privacy is Context-gevoelig

Het is onmogelijk om jezelf helemaal af te schermen. In het dagelijks leven geven we op allerlei momenten persoonlijke informatie weg, maar in de meeste gevallen ervaren we dat niet als een inbreuk op onze privacy.

Wat wél als een privacy-inbreuk wordt beschouwd, hangt sterk af van de situatie, stelt onderzoekster Hellen Nissenbaum in haar boek Privacy in Context[28]. Wanneer we privégegevens met onze arts delen, vertrouwen we erop dat hij die informatie niet zal doorverkopen. Bijvoorbeeld omdat een arts een beroepsgeheim heeft. Als onze huisarts onze gegevens zou doorverkopen, stelt Nissenbaum, is dat een doorbreking van de 'contextuele integriteit'; van de door onze cultuur gevormde verwachtingen en afspraken over wat normaal is in een bepaalde situatie.

Privacy leunt dus sterk op het vertrouwen dat we hebben in de systemen en partijen om ons heen. Privacyproblemen, stelt Nissenbaum, ontstaan pas wanneer deze contextuele integriteit wordt doorbroken.

Een voorbeeld hiervan zijn de Google Streetview auto's die onze straten fotografisch vastleggen. In Nederland mag iedereen op straat een foto nemen van gebouwen[29]. Google verdedigde haar praktijk dan ook, door te stellen dat ze niets nieuws deed. We fotograferen gebouwen toch al zo lang als de camera bestaat?

Maar volgens Nissenbaum werd er wel degelijk een culturele verwachting verbroken. Volgens haar is de enorme schaal van Google's praktijk een fundamentele verandering. Nu kan iedereen ter wereld heel snel zien hoe je woont. Dat kan sociale consequenties hebben.

Het lastige is, dat de wet geen onderscheid maakt in de schaal waarop dit gebeurt. Toen de wet werd opgesteld had niemand kunnen voorzien dat een bedrijf als Google de hele wereld over zou gaan rijden om al onze huizen te fotograferen. Dit gebrek aan wetgeving ondersteunt Google's stelling dat ze 'niks raars doen'. Want als het echt raar was, 'dan was er wel een wet tegen geweest'.

VOORBEELD

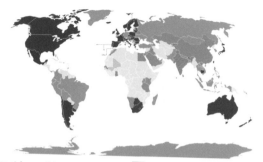

Countries and dependencies with: ◼ mostly full coverage ◼ partial coverage ◼ full or partial coverage planned (official) ◻ full or partial coverage planned (unofficial) ◼ views of selected businesses and/or tourist attractions only ◻ no current or planned coverage

Google Streetview protest

In Duitsland werd de opname van Google Streetview beelden stopgezet na protesten van burgers.

Daardoor kan een aan naïviteit grenzend optimisme de boventoon gaan voeren. Gebruikers van Google Glass, een camerabril die foto's en video's kan opnemen, waren in veel gevallen werkelijk verbolgen dat veel mensen het niet op prijs stelden dat op plekken waar voorheen geen camera's waren, de camera's nu letterlijk binnenwandelden. Nu zette de opkomst van cameratelefoons al langer allerlei sociale situaties onder druk, maar daarbij is er in ieder geval nog een herkenbare fysieke pose wanneer iemand een foto maakt, gevolgd door een klikgeluid. Je kunt op dat moment relatief gemakkelijk wegduiken of bezwaar maken. Maar de Google Glass camera kijkt continu het sociale leven in, en het is voor omstanders moeilijk te achterhalen of die camera opneemt of niet. Dat brengt veel spanning met zich mee: is de contextuele integriteit nog gewaarborgd? Kan ik nog losgaan zonder dat mijn gekke dansje op YouTube verschijnt? Deze spanning leidde tot kleine opstootjes in Amerikaanse cafés[30].

Sarah Slocum filmt een incident in een kroeg dat ontstaat omdat ze een Google Glass draagt.

De komende jaren zullen we waarschijnlijk vaker situaties tegenkomen die onze grenzen te ver oprekken. Volgens criticus Evgeny Morozov is het een kwestie van tijd tot de 'privacy apocalypse' plaatsvindt, een schandaal dat zoveel mensen ineens diep raakt, dat we wél boos worden[31].

In een ideale wereld komt het niet zover, en leren we op deze problemen beter te anticiperen en ze te begrijpen. Het 'boem is ho' principe zou voor een nieuwe generatie privacy designers niet moeten volstaan.

Privacy als luxegoed

Een ander interessant perspectief ontstaat wanneer we privacy met een economische bril bekijken. Dan zien we privacy als een luxegoed, waarvoor kennis of geld nodig is om het te kunnen bezitten. Een kennis-elite (technologen) weet zich enigszins te beschermen door zijn kennis in te zetten. Het instellen van e-mail-encryptie is bijvoorbeeld notoir lastig voor wie weinig kennis van computers bezit[32].

→ Encryptie, p.124

De vraag naar privacybescherming neemt wel toe, waardoor er een markt begint te ontstaan voor toegankelijke software. Wie bijvoorbeeld een Blackphone[33] koopt, kan minder gemakkelijk worden afgeluisterd. Maar wie deze producten koopt is, net als met biologisch eten, wel iets duurder uit[34].

Ook Apple, zelf al een luxe merk, profileert zich steeds nadrukkelijker als bedrijf dat de privacy van haar klanten beschermt[35]. Op dit moment van schrijven kan Apple bijvoorbeeld de Amerikaanse overheid geen inzicht geven in de communicatie die via haar eigen chat-app iMessage plaatsvindt omdat deze communicatie versleuteld is en het bedrijf zelf de sleutel niet heeft[36]. Het is te verwachten dat de vraag naar zogenaamde 'privacy enhancing technologies' zal blijven toenemen.

Maatschappelijk nut:
Privacy als bron van verandering

Het recht op privacy is niet alleen belangrijk voor het individu, ook de maatschappij als geheel heeft er baat bij. Omdat privacy het mogelijk maakt om ideeën te ontwikkelen of dingen uit te proberen zonder dat die meteen worden gecontroleerd of veroordeeld, kunnen ook ideeën die niet meteen populair zijn zich toch door de maatschappij verspreiden.

Ooit was het bijvoorbeeld heel normaal om te denken dat vrouwen niet mochten stemmen, of dat homofilie een soort ziekte was. Wie hier publiek vragen over stelde, ontmoette veel weerstand. Het hebben van privéruimten en privécommunicatie maakte het mogelijk dat alternatieve ideeën hierover konden worden ontwikkeld en verspreid.

Nederland biedt een mooi voorbeeld: toen blowen nog verboden was konden mensen het thuis toch proberen. Langzaam maar zeker zag je de maatschappelijke consensus verschuiven van "het is des duivels" naar "ik hoor dat het eigenlijk best leuk is" naar "man, waar maken we ons nog druk om". Wanneer de maatschappij het gedrag accepteert, zal uiteindelijk ook de wetgeving worden aangepast. Dan is iets dat eerst ondenkbaar was niet alleen denkbaar geworden, maar zelfs legaal.

Privacy maakt het mogelijk dat binnen een land een grote diversiteit aan alternatieve denkbeelden kan bestaan. Dat is van invloed op het veranderingsvermogen van een land. In een land als Nederland, dat een innovatiecultuur wil cultiveren, is het hebben van een sterke privacybescherming dan ook van groot belang.

Het lastige is dat al onze digitale systemen en sociale netwerken ideeën niet alleen helpen verspreiden, maar het tegelijkertijd ook eenvoudiger maken om te achterhalen wie impopulaire denkbeelden heeft[37]. Zou Willem van Oranje vandaag de dag nog steeds zo ongrijpbaar zijn[38]? Of zou hij allang een hoge terrorisme-score hebben gekregen van de algoritmes van Filips II?

Het blijkt lastig om het belang van privacy goed te waarderen op momenten dat alles in een land voorspoedig gaat en de regering haar burgers relatief gelijkwaardig behandelt. Terwijl de waarde van privacy laag wordt ingeschat, is het vertrouwen van burgers in de overheid in Nederland erg groot.

Deze balans is niet overal vanzelfsprekend. Dit wordt goed zichtbaar wanneer we de houding van de gemiddelde Nederlander vergelijken met die van de gemiddelde inwoner van voormalig Oost-Duitsland. In dat deel van Duitsland zijn burgers over het algemeen sterker geneigd hun privacy te beschermen omdat velen van hen zich de mensonterende praktijken van hun overheid nog goed voor de geest kunnen halen. Met name de Stasi, de nationale veiligheidsorganisatie die tijdens de koude oorlog in Oost-Duitsland actief was, heeft dit besef aangewakkerd. Deze organisatie betaalde op haar hoogtepunt één op de 40 Oost-Duitsers een klein bedrag om zijn of haar naaste omgeving te bespioneren en 'ongewenst gedrag' te rapporteren[39]. Een nog grotere groep verklikte haar medeburgers gratis. Wie ongewenst gedrag leek te vertonen werd het slachtoffer van psychologische oorlogsvoering of belandde in de gevangenis[40]. Oorlogen, of ze nu warm of koud zijn, leren ons onze privacy op hardhandige manier opnieuw te waarderen.

Dankzij klokkenluider Edward Snowden, die in 2013 onthulde dat Amerikaanse veiligheidsorganisaties onze online levens verregaand in de gaten houden, is er beter zicht op de capaciteiten van hedendaagse geheime diensten[41]. Zo heeft de Britse inlichtingendienst GCHQ waarschijnlijk een lijst van alle websites die je het afgelopen paar jaar hebt bezocht, omdat hun 'Karma

Police' project al het internetverkeer dat via Engeland loopt automatisch opslaat[42]. Een anonieme Amerikaanse klokkenluider onthulde in 2015 dat de FBI op elk gewenst ogenblik de microfoon van Android telefoons kan aanzetten om gesprekken af te luisteren[43]. Dit soort voorbeelden tonen volgens Edward Snowden hoe we een 'architecture of oppression' aan het bouwen zijn, een systeem waarvan de Stasi zou watertanden. Daarvan kunnen we later spijt krijgen[44]. Maar dan is het te laat.

De meeste mensen vinden het echter niet zo erg omdat ze, zoals gezegd, de overheid vertrouwen[45]. Wanneer mensen zeggen dat ze niets te verbergen hebben, bedoelen ze meestal dat ze niets te verbergen hebben tegenover de politie of andere institutionele machten.

Is dat vertrouwen terecht? Het is moeilijk om op basis van ervaringen uit het verleden te garanderen dat dit over 20, 40 of 60 jaar nog steeds het geval is. Niemand voorzag in 1900 immers wat er in de Tweede Wereldoorlog met de data van de joodse Nederlanders zou gebeuren[46].

Het geven van surveillance capaciteiten moet ook voorzichtig gebeuren. Het is gemakkelijk om geheime diensten meer onderscheppingsmogelijkheden te bieden, maar moeilijk om ze die later weer af te nemen. Onze privacy lijkt daardoor enkel te krimpen. Bij iedere aanslag wordt al snel geroepen dat er te weinig informatie was, dat er nóg iets meer van onze privacy moet worden opgeofferd. Maar we zien nooit een beweging de andere kant op, waarbij we onze privacy terugkrijgen omdat er meer dan voldoende informatie bleek te zijn. Hoewel er vaak over het vinden van een balans tussen privacy en veiligheid wordt gesproken, wordt die in de praktijk nooit gevonden. Veel critici maken zich hierover ernstige zorgen.

Privacy in context

Hiermee komen we bij het laatste perspectief: de waarde van privacy wordt vaak bepaald door haar te vergelijken met andere belangrijke waarden. Privacy wordt dan ineens een afweging, iets dat ten koste gaat van iets anders. Zo wordt privacy vaak tegenover veiligheid gezet, wat impliceert dat deze twee waarden tegenover elkaar staan. Maar er zijn veel critici, waaronder Apple's directeur Tim Cook[47], die erop wijzen dat dit vaak valse tegenstellingen zijn[48]. Zo is een systeem dat de privacy beschermt, ook veiliger voor de persoon die het gebruikt omdat de data minder snel misbruikt kan worden. Privacy en veiligheid liggen juist erg dicht bij elkaar en zijn sterk van elkaar afhankelijk.

De werkelijke spanning, stellen denkers als Bruce Schneier en privacy activisten als Jacob Applebaum, is die tussen vrijheid en controle. Privacy biedt de burger een vorm van macht.

Een andere veelgehoorde tegenstelling is die tussen privacy en gemak. Wie een fijn werkend systeem wil zou zijn privacy moeten opgeven. En wie privacy wil moet maar wennen aan lelijke en complexe interfaces. Maar ook hier lijkt dat een valse tweedeling te zijn. In de rest van dit boek wordt hopelijk duidelijk dat privacy en gemak best samen te brengen zijn.

Privacy is kortom een complex begrip dat in allerlei vraagstukken een rol speelt. Op momenten dat de meeste mensen de waarde van privacy niet goed kunnen inschatten, zouden ontwerpers zelf extra gewicht in de schaal kunnen leggen door de burger in bescherming te nemen. De hiernavolgende acht principes kunnen daarbij als leidraad dienen.

Meer termen die het onderzoeken waard zijn, vind je in de begrippenlijst achterin dit boek.

VOORBEELD:

iPhone

Apple directeur Tim Cook weigerde begin 2016 om het eenvoudiger te maken voor de FBI om de iPhone te kraken. Door de beveiliging van de telefoon te verzwakken ontstond er uiteindelijk voor alle Amerikanen een minder veilige situatie. Want niet alleen de FBI zou hierdoor de iPhones kunnen gaan kraken, ook andere kwaadwillende partijen zouden hier graag gebruik van maken. Apple en de FBI vullen het woord 'veiligheid' hier allebei anders in.

PRINCIPE 1

PRIVACY FIRST

Denk al in de beginfase van een project na over hoe je met privacy en data omgaat. Dat klinkt (hopelijk) logisch, maar in de praktijk blijkt dit vaak niet het geval. In veel producten worden privacy features pas later ingebouwd, in het ergste geval pas na bezwaar door het brede publiek. Dit is niet altijd even eenvoudig, bijvoorbeeld omdat de software niet meer aangepast kan worden, de hardware infrastructuur niet goedkoop te vervangen is, of omdat het gekozen businessmodel het niet toestaat. Soms is privacyschending heel bewust tot stand gekomen, en wordt er gebruik gemaakt van zogenaamde 'dark patterns' om ervoor te zorgen dat mensen per ongeluk meer informatie weggeven dan ze willen. Onwil, bureaucreatie en kennisgebrek maken het lastig om deze problemen adequaat aan te pakken. Door er vroeg bij te zijn en deze vraagstukken op tijd te onderzoeken, kunnen deze problemen hopelijk zo goed mogelijk worden ondervangen. → Dark Patterns p.123

Een goed voorbeeld is de OV-Chipkaart. Volgens Marleen Stikker, directrice van de Amsterdamse Waag Society, zijn bij het ontwerp van het OV-systeem duidelijk geen kritische hackers of privacy-deskundigen betrokken geweest[49]. Hierdoor doken er jarenlang veiligheidsproblemen op, die werden aangekaart door journalisten en hackers die zich zorgen maakten. Hoewel de oude OV-chipkaarten inmiddels zijn vervangen door duurdere, beter beveiligde varianten, blijft het systeem nog altijd privacy-onvriendelijk. Zo is het bijvoorbeeld onmogelijk om tegelijkertijd anoniem en met korting te reizen, iets dat voorheen wel kon[50]. Doordat anoniem reizen nu alleen tegen vol tarief mogelijk is, wordt dit effectief ontmoedigd.

Slecht ontwerp kan zelfs levensgevaarlijk zijn. In 2015 bleek het mogelijk om een nieuw model auto's van Jeep via het internet over te nemen en op afstand de remmen in te

drukken of de motor uit te zetten[51]. De enige manier om
de software van updates te voorzien, was door een USB-
stick met update-software in het dashboard van de auto
te steken. Chrysler, het moederbedrijf van Jeep, besloot
toen om 1,4 miljoen Jeeps terug te roepen. Zo blijkt maar
weer dat er schrikbarend slecht wordt nagedacht over
de privacy en veiligheids-issues die kunnen ontstaan
gedurende de volledige gebruikscyclus van een product
of dienst.

Dit is een probleem dat al langer speelt. Volgens een
recente schatting door onderzoekers van het Franse
kenniscentrum Eurecom en de Duitse RuhrUniversität
is het, voor ongeveer een kwart van de op het internet
aangesloten apparaten, zeer eenvoudig om ze over te
nemen[52]. Deze apparaten zijn veelal te benaderen met
bekende standaard wachtwoorden.

De meeste problemen zullen niet snel worden opgelost.
Vaak zijn bedrijven traag met het aanbieden van updates
omdat het ze geld kost, iets dat een probleem vormt bij
veel Android smartphones. In andere gevallen is er wel een
oplossing beschikbaar, maar bereikt die het systeem niet.
In het geval van de Jeeps van Chrysler moest er handmatig
een USB-stick in het dashboard worden ingevoerd. Zo is er
altijd een percentage apparaten dat door haar gebruikers
niet geüpdatet wordt[53]. In het ergste geval is het product
een flop, bereikt het 'end of life' status of gaat het bedrijf
failliet. De meeste mensen blijven deze apparaten toch
gebruiken.

Zelfs een up-to-date apparaat kan morgen onveilig
blijken wanneer hackers een nieuw lek ontdekken.
Software bouwen is en blijft mensenwerk.

Er gebeurt dus van alles tijdens de levensloop van een
'slim' product. Het is belangrijk dat een organisatie samen
met een ontwerper op mogelijke problemen anticipeert
en snel op in leert spelen. Dat kan door handleidingen en

processen te ontwerpen waarmee de klant kan inspringen op deze ontwikkelingen, zoals in het geval van een hack. In de bedrijfsprocessen zou expliciet ruimte moeten zijn voor het fixen van bugs en andere problemen die later ontdekt worden.

De allerbeste manier om deze vraagstukken op te lossen, is het ontwikkelen van een cultuur van privacy binnen de organisatie. Niet van tevoren nadenken over privacy-issues is uiteindelijk een uiting van een gebrek aan zo'n cultuur. Hoe zo'n cultuur aan te brengen is in een organisatie, is een grote open vraag.

Ook het ontwikkelen van een minimale kennis van privacywetgeving is aan te raden. Zo mag je in Nederland alleen data verzamelen over mensen, als je kunt verantwoorden waarom je die data nodig hebt. Zomaar verzamelen mag niet. Ook moeten gebruikers in veel gevallen op de hoogte worden gesteld over wat je verzamelt en wat je ermee doet. Wie bijvoorbeeld gezondheidsclaims wil doen, moet goed kunnen verantwoorden hoe medische data worden verwerkt.

VOORBEELD:

Logo van Web 2.0 Suïcide Machine

Web 2.0 Suïcide Machine

In 2010 trok het Nederlandse project 'Web 2.0
Suïcide Machine' wereldwijd de aandacht. Destijds
waren de privacy-instellingen op sociale netwerken
vaak verwarrend of verstopt. Een profiel deleten was
dan ook een hele toer. Gaf je de Suïcide Machine je
inlog-gegevens, dan werd het werk voor je gedaan.
Ook je password werd veranderd zodat je er achteraf
nooit meer bij kon wanneer je spijt kreeg van je keus.
Of je profiel ook echt verwijderd werd door sociale
netwerken, wordt sterk betwijfeld: de data zijn te
waardevol en er is allerhande boekhoudkundige
wetgeving die het eigenlijk ook niet toestaat,
aangezien een account deel zou uitmaken van een
financieel spoor dat te herleiden moet blijven.

Interview

Marcel Schouwenaar

Marcel Schouwenaar is oprichter en ontwerper bij The Incredibles Machine, een ontwerpbureaus voor 'product service systems'. "Oftewel het internet of things", aldus Marcel.

"Na een aantal jaren gewerkt te hebben in het veld, waarin we veel verschillende klanten geadviseerd hebben en veel mooie dingen hebben gebouwd, kwamen we erachter dat zaken als privacy, veiligheid, maar ook transparantie een issue zijn waar onze opdrachtgevers weinig over nadenken en weinig tijd aan besteden. Toch is het wel belangrijk. Daarom besloten we vorig jaar met andere partijen die hetzelfde ervoeren, een manifest te schrijven. We hebben 10 principes opgesteld aan de hand waarvan we willen ontwerpen.

In het begin dachten we: lekker ontwerpen, dan het idee nog even onder de privacy loep en dan fixen we het. Maar we beseften: dat is veel te laat. Er zijn dan al beslissingen genomen die je niet meer terug kan draaien. Er zijn dan al functionaliteiten gekozen, en functionaliteit vormt de essentie van dingen.

Het is geen kwade intentie, maar voor mensen die in andere contexten werken is het lastig om te zien dat er - als je allerlei dingen gaat verbinden - nieuwe condities ontstaan die ze niet kunnen voorzien. Dus daar helpen we ze bij. Ik merk dan ook dat ik steeds vroeger in ontwerpprocessen word betrokken.

We willen graag een 'culture of privacy' scheppen bij onze klanten. Dat ligt op een hoger niveau dan productniveau.

Het product of de dienst is niet datgene dat de privacy afschermt, het hele bedrijf moet daarvoor instaan. Het moet iets zijn dat voor alle producten geldt, maar ook dat iedereen die in het bedrijf werkt, van de klantenservice tot de CEO, begrijpt. Iedereen moet doordrongen zijn van het belang van privacy. Het gaat daarbij niet om hele enge dingen maar gewoon om 'common sense'. Op dezelfde manier als je geen CFK's gebruikt en je afval scheidt, zo moet je ook rekening houden met privacy. Het is een concept dat in alles doorsijpelt.

Opdrachtgevers denken daar totaal niet over na want hun opdracht is anders: meer advertentieopdrachten, beter kunnen schoonmaken. Het is geen onderdeel van 'Key Performance Indicators' om privacy te waarborgen. Door heel prat te gaan op privacy zijn klanten bang deuren te sluiten naar eventuele businesssmodels, waardoor het respecteren van privacy niks oplevert. De roep dat er iets te verdienen is met data klinkt zoveel luider. Privacy is nog een iel stemmetje. De Big Brother awards worden door veel mensen nog gezien als links en schreeuwerig. Maar ik zeg "nee, kom op, dit is jullie business". Het is interessant dat duurzaamheid wel volledig geaccepteerd is. Ik denk dan: als je goede duurzaamheidsintenties kunt vertalen naar 'actionable standards', dan kan dat ook met privacy.

Ook burgers stellen nog geen eisen. Mensen láten dingen nog niet vanwege hun privacy. Niemand zegt 'Oh, maar als alles wordt gemeten ga ik maar niet naar Disneyland'. Bij sociale media hebben we nu een beetje door dat er een informatie-uitwisseling plaatsvindt bij wijze van betaling. Maar bij slimme omgevingen hebben mensen dat nog niet zo op de radar."

PRINCIPE 2

DENK EENS ONDEUGEND

"The invention of the ship was also the invention of the shipwreck"

—Paul Virilio

Nu data zoveel invloed krijgt in ons dagelijks leven, lezen we steeds vaker over gestolen databases en andere vormen van misbruik. Toch zien we dat ontwerpers vooral optimistische scenario's rondom hun beoogde creatie onderzoeken. Dat is nog enigszins te plaatsen, tenslotte wil je iemand iets verkopen. Maar sinds de onthullingen van Edward Snowden, die ons liet zien dat veiligheidsdiensten het internet gebruiken om onze levens verregaand in de gaten te houden, zouden de gevaren beter bespreekbaar moeten zijn.

Het kan nuttig zijn om de gevaren te concretiseren door een aantal vragen te stellen:

- Wat gebeurt er als een zorgverzekeraar toegang krijgt tot deze informatie? Zou dat een premieverhoging tot gevolg kunnen hebben?

- Wat gebeurt er als een (potentiële) werkgever deze informatie, of de conclusies die er uit te trekken zijn, in handen zou krijgen?

- Wat gebeurt er als een ex-vriend of -vriendin deze data in handen krijgt?

- Wat gebeurt er als een stalker deze data in handen krijgt? Of een religieuze extremist? Of een hypotheekverstrekker? Of een frauduer?

Hoewel het niet gemakkelijk is, is het zeker de moeite waard om met kritische ogen naar de eigen plannen te kijken. Door al tijdens de ontwerpfase vanuit het perspectief van de potentiële misbruiker te denken, kun je enigszins op misbruik anticiperen.

Het is daarbij aan te raden om een buitenstaander naar het ontwerp te laten kijken, bijvoorbeeld een beveiligingsexpert of een 'ethische hacker'. Zij bezitten de vereiste kennis en de nodige afstand tot het project, zodat ze echt kritisch en onbevooroordeeld naar privacy design keuzes kunnen kijken

VOORBEELD:

Nieuwe vormen van misbruik

Innovatie vindt niet alleen in positieve richting plaats, er ontstaan ook nieuwe dubieuze praktijken. Deze gaan vaak hand in hand: de uitvinding van de auto was immers ook de uitvinding van de file. Enkele van de meest frappante praktijken zijn:

DOXING

Het doelbewust vrijgeven van persoonlijke documenten van anderen om ze schade te berokkenen[54]. Het is een verbastering van 'docs', een gangbare afkorting van 'documents'. Een specifiek voorbeeld is het online plaatsen van 'revenge porn': seksueel getint beeldmateriaal uit een eerdere relatie. Het doel is dan om de voormalige partner in verlegenheid te brengen[55].

SWATTING

Een vorm van wraak die bestaat uit het geven van misleidende tips aan de politie, in de hoop dat dit resulteert in een bezoek van zwaar gewapende politieagenten aan het adres van het beoogde slachtoffer[56]. Swatting is vaak het resultaat van uit de hand gelopen internet-ruzies. Deze kunnen een dodelijke afloop hebben, omdat bij de inval van de agenten mensen gewond kunnen raken of overlijden. De naam is een verwijzing naar zwaargewapende Special Weapons And Tactics (SWAT) afdeling van de Amerikaanse politie.

GEORGANISEERDE CYBERCRIMINALITEIT
Cybercriminaliteit heeft een grote vlucht genomen, en Rusland lijkt één van de landen te zijn waarin deze vorm van criminaliteit zich ongeremd ontwikkelt. Een van de meest notoire online criminele organisaties is het Russian Business Network dat webhosting aanbiedt aan andere criminelen[57]. Analysebureau Group-IB stelt dat Russische criminelen zo'n 2,5 miljard dollar aan inkomsten hadden[58].

FAILLISSEMENTSLEK
Veel bedrijven beloven goed om te gaan met onze data en deze niet door te verkopen. Maar bij een faillissement zijn bedrijven in veel landen verplicht hun eigendommen te verkopen[59], waaronder de aangelegde databases.

PROFILING
Het opbouwen van zeer gedetailleerde profielen over de levensomstandigheden en gedragingen van personen op basis van informatie die ze zelf hebben vrijgegeven, vaak zonder het goed door te hebben. In veel gebruikersovereenkomsten van Amerikaanse diensten staat bijvoorbeeld, dat verzamelde data mag worden gedeeld met derde partijen. Dit is (nog niet) crimineel, maar het is wel dubieus. Er zijn bijvoorbeeld

lijsten van verkrachtingsslachtoffers, demente
bejaarden, en mensen met Hiv[60]. Rondom deze
diensten vindt ook veel criminaliteit plaats[61].
Ze vormen vanzelfsprekend een enorm doelwit
voor datadieven[62], en de vraag is in hoeverre alle
diensten hun data uit 100% legale bron vernemen.

Risico's

Datadiefstal is een groot risico, met name wanneer het
over persoonsgegevens gaat. De grootste gevaren ontstaan
wanneer verschillende databases worden gekoppeld en
samengevoegd.

Ook kleine specifieke databases kunnen al interessant
doelwit zijn. Een crimineel die een database steelt met
daarin namen en adressen en die vervolgens koppelt aan
een andere database met namen en geboortedata krijgt zo
zicht op naam, adres en telefoonnummer. Die combinatie is
genoeg om problemen te veroorzaken.

Ook organisaties zelf koppelen graag intern hun data,
omdat dan nieuwe functionaliteiten kunnen worden
ontwikkeld.

→Feature Creep, p.125

VOORBEELD

De nationale verjaardagskalender

In 2015 en 2016 onderzoekt het Utrechtse medialab
SETUP een interessante vraag: hoe moeilijk is het
om een database van alle Nederlanders te maken
door online bronnen bij elkaar te sprokkelen? Zou
het mogelijk zijn om een dienst te ontwikkelen
die van alle Nederlanders de verjaardagen hielp
herinneren, en die ook nog eens cadeautjes
aanbood op basis van de interesses van de jarigen?

Samen met data-experts werden enkele weekends
lang verschillende bronnen bij elkaar gepuzzeld,
zoals bijvoorbeeld Schoolbank.nl, voormalig
sociaal netwerk Hyves, het telefoonboek, websites
van sport- en werkverenigingen, enzovoort. Het
bleek verrassend eenvoudig: geen enkele website
bood weerstand tegen het massaal kopiëren van de
gegevens.

Andere criminaliteit is meer gericht. De Amerikaanse
familie Straters werd jaren geterroriseerd door een

cybercrimineel genaamd Kivimaki[63]. Hij liet pizza's en andere bezorgdiensten langskomen (die ze dan zouden moeten betalen), sloot online de elektriciteit af en misleidde politieagenten tot het plegen van gewapende bezoeken naar aanleiding van leugenachtige telefoontjes. De stress werd na jaren teveel, de ouders zijn nu gescheiden.

> *De meeste mensen denken bij het woord 'hacker' aan een crimineel, maar experts maken onderscheid tussen twee soorten hackers: white-hat en black-hat, 'ethische' en criminele. In elke grote stad vind je zogenaamde 'hackerspaces': clubhuizen van ethische hackers die daar samenkomen. Ze kunnen je vaak meteen met technologische vragen helpen. Op Hackerspaces.nl vindt je een lijst van Nederlandse hackerspaces. Ze organiseren ook open dagen.*

Hackers hebben tegenwoordig een grote invloed op het ontwerp van digitale systemen. Zij wijzen met plezier alle gaten aan. Een groot aantal hackers is maatschappelijk begaan: naast de praktische gevaren voor identiteitsdiefstal en ander crimineel misbruik herinneren zij ons vaak ook aan grotere maatschappelijke vragen. Ethische hackers zijn voor een belangrijk deel het geweten van de digitale maatschappij en houden vaak rekening met de situatie dat de maatschappij 'minder gezellig' zou kunnen worden.

Mocht je liever de geïnstitutionaliseerde hackerswereld willen ontmoeten, ga dan op zoek naar 'ICT security audit' bedrijven. Grote Nederlandse namen zijn Madison Gurkha en Fox IT.

*Denk als een hacker! Laten we bij wijze van
experiment een lijst maken van soorten data die nu
vaak verzameld worden en laten we daarbij kijken
naar de mogelijke manieren waarop die data kan
worden misbruikt.*

TWEETS

Tweets zijn in het verleden een goudmijn gebleken voor
allerhande analyses. Een van de speelse voorbeelden van
potentieel misbruik was PleaseRobMe.com, een website
die tweets als "I just left home" op een geografische
kaart toonde. Bij die huizen zou dan gemakkelijk
ingebroken kunnen worden. Het doel was het gevaar van
'oversharing', teveel delen, inzichtelijk te maken.

KNOPJES

Heel eenvoudige sensoren kunnen al een heleboel
vertellen. Stel dat je lampen koopt die je ook met een
app kunt bedienen. Als bij elk gebruik contact wordt
gelegd met een server ontstaat tegelijkertijd, als een
vorm van bijvangst, zicht op wat je aan het doen bent. De
laatste keer dat je een licht uitdoet voor 4 uur 's nachts
is waarschijnlijk het moment dat je gaat slapen. En 's
morgens doe je ergens in huis weer een licht aan. Zo
ontstaat zicht op je slaappatroon. Hetzelfde geldt voor je
smartphone: Google heeft in theorie een vrij nauwkeurig
beeld van de slaappatronen van haar gebruikers,
want mensen maken, als ze wakker zijn, bijna continu
gebruik van de diensten van Google. Die data zou veel
waard kunnen worden voor zorgverzekeraars: mensen
die laat naar bed gaan, lopen meer risico op kostbare
hersenaandoeningen op latere leeftijd.

NAAM, ADRES EN GEBOORTEDATUM

Deze 'klassiekers' zijn erg handig bij identiteitsfraude, een misdaadvorm die tegenwoordig toeneemt. Met deze gegevens kun je vaak telefonisch veel schade doen bij verzekeraars, NUTS bedrijven of andere abonnementsdiensten.

TELEFOONNUMMER

Een telefoonnummer is echt een heel fijn gegeven. Waar namen nog wel eens dubbel voorkomen (Martin Vink, daar hebben we er meer dan 25 van in Nederland[64]), zijn telefoonnummers wereldwijd uniek. Als je een app toegang geeft tot je telefoon, word je zeer goed herkent. Als je toegang geeft tot je contactenlijst, wordt het kinderspel om je sociale netwerken te reconstrueren. Dat is weer belangrijk omdat mensen soortgelijke mensen opzoeken. Een netwerk van rijke mensen is erg waardevol voor marketeers. Arme mensen evenzo, want een sociaal netwerk vol schuldenaren is een goede indicator dat je zelf ook gemakkelijker schulden aan zult gaan.

BEWEGINGSSENSOR DATA

Veel elektronische apparaten hebben tegenwoordig een bewegingssensor. Die zijn zo klein, zuinig en goedkoop geworden dat ze vaak zelfs in apparaten ingebouwd worden wanneer er nog geen reden voor is: die kan later nog bedacht worden. Huidige iPhones reserveren een klein stukje van de accu voor deze chipjes, zodat, zelfs wanneer je telefoon leeg of uit is, deze sensoren nog enkele dagen doorwerken[65]. De data uit deze chips kan erg veel over je gedrag en je gezondheid verklappen.

BLOED, DNA, EN ANDER LICHAAMSMATERIAAL

Dit is nog zeldzaam, maar deze gegevens zouden in de toekomst spannende nieuwe vormen van discriminatie kunnen opleveren. Er worden nu al vragen gesteld over de opslag van genetische data door bedrijven als 23andme die genetische thuistests verkopen. Met zo'n test kun je ontdekken of je aanleg hebt voor sommige, genetisch bepaalde aandoeningen. De benodigde zorg voor dit soort aandoeningen kan kostbaar zijn, en daardoor zouden veel partijen toegang willen hebben tot die data.

PRINCIPE 3

VERZAMEL ZO MIN MOGELIJK DATA

Het is populair om te roepen dat data het 'nieuwe goud' is, en dat je gewoon alles moet pakken wat je pakken kunt. Toch is dat om meerdere redenen niet zo'n goed idee.

Ten eerste is in de Nederlandse wet verankerd dat je geen data mag verzamelen die niet essentieel is voor je bedrijfsproces. Daarop wordt bij klachten door de Autoriteit Persoonsgegevens gecontroleerd. Sinds juli 2015 staan op het roekeloos omgaan met privégegevens stevige boetes die kunnen oplopen tot 10% van de jaaromzet. Sinds 2016 is het verplicht om datalekken te melden[66].

Het opslaan van grote hoeveelheden data is ook niet zonder risico. Hoe meer informatie je verzamelt, hoe aantrekkelijker je wordt voor criminelen die de data kunnen lekken, doorverkopen of op andere wijze misbruiken. Daarbij is er aanzienlijke kans op PR schade. Er gaan zelfs bedrijven aan ten onder[67].

Bijdrage

Door Frank Koppejan van Privacy Company:

Privacy by design is een van de uitgangspunten in de aankomende Europese wetgeving. Dat geldt dus ook voor smart homes, smart cities, smart watches en andere smart-diensten. Ook het Internet of Things zal aan de privacyregels moeten voldoen, voor zover de data tot een persoon herleidbaar zijn. Voor ontwerpers van producten die iets met dergelijke data doen, betekent dit dat ze rekening zullen moeten blijven houden met de bestaande privacy principes:

1. Alleen de minimaal benodigde data wordt verzameld.

2. Data wordt niet langer opgeslagen dan nodig is.

3. Data wordt niet verwerkt voor andere doeleinden dan tevoren bepaald.

4. Data wordt zonder toestemming niet aan commerciële partijen doorgestuurd, verkocht of verhuurd.

5. Data wordt voldoende beveiligd en indien nodig versleuteld opgeslagen.

Wat producten en hun interfaces betreft, staat privacy-ontwerp nog in de kinderschoenen. Veel voorwaarden ('privacy statements') zijn onduidelijk of onvolledig, eenmaal gegeven toestemmingen zijn lastig te beheren en inzage krijgen in de verwerkte gegevens is tijdrovend. De aankomende Europese privacyregels zullen hier een positieve rol in kunnen spelen. Toch ligt een groot deel van de oplossing niet bij de juristen. De uitdaging is, om bij nieuwe diensten en producten de gebruiker niet alleen een keuze te geven of en hoe zijn data gebruikt worden, maar om deze keus ook begrijpelijk te laten zijn. Daar zijn goede ontwerpers voor nodig, die erover nadenken hoe ze de gebruiker duidelijk kunnen maken wát er gebeurt en waaróm. Dat vereist samenwerking tussen ontwerpers, techneuten, juristen en gebruikers en dat is best spannend.

In de praktijk zijn flexibiliteit en speelruimte altijd te vinden. Daardoor ligt er ook verantwoordelijkheid bij de ontwerper om systemen zo slim te ontwerpen dat de opslag van data tot een minimum beperkt blijft, zonder dat de functionaliteit eronder lijdt.

Daar zijn allerhande technologische mogelijkheden voor. Een goed voorbeeld zijn zogenaamde 'hashfuncties'. Deze maken het mogelijk om een gebruiker later opnieuw te herkennen, maar zonder dat de precieze data bewaard blijft.

→ Hashing, p.126

VOORBEELD:

IRMA Card

Een spannende ontwikkeling is de opkomst van tussenpartijen die alleen de echt benodigde informatie aan derde partijen doorspelen, zoals het Nederlandse IRMA Card project. Stel bijvoorbeeld dat je een fles jenever wilt kopen. De verkoper wil zeker weten dat je 18 bent, maar hoeft verder eigenlijk niets van je te weten. Nieuwe slimme identiteitssystemen delen in die gevallen alleen de leeftijd, of nog beter, alleen het feit dat de persoon boven de 18 is, zonder de precieze leeftijd weg te geven. In plaats van onze informatie met heel veel partijen te delen, delen we nu veel met één partij die we echt vertrouwen, en alle andere partijen krijgen dan alleen het minimaal nodige doorgespeeld.

Het is vaak ook helemaal niet nodig om veel data te verzamelen. Door goed te ontwerpen kunnen diensten dezelfde functionaliteit met minder data-opslag uitvoeren. Laten we een voorbeeld bekijken.

Met de opkomst van partijen als Uber lijkt het bijvoorbeeld vanzelfsprekender te worden om GPS zenders aan de scooters van pizzabezorgers te koppelen. Wie een pizza bestelt kan online precies zien waar zijn pizza blijft, door de bezorger op een kaart te volgen[68].

Dit is een inbreuk op de privacy van de pizzabezorger. Die kan niet meer zo makkelijk van koers veranderen zonder de kans te lopen dit later aan zijn of haar baas te moeten uitleggen. Er zijn legio legitieme redenen om dat te doen, bijvoorbeeld om religieuze redenen, om medicijnen op te halen, of omdat mensen dit om sociale redenen doen. Als je bij deze voorbeelden denkt 'maar dat kan je toch gewoon uitleggen' dan mis je het punt: zonder antropologisch onderzoek is de kans groot dat er bepaalde gevoelige culturele, praktische of onvoorziene situaties ontstaan die je met je beperkte kennis niet had kunnen bedenken.

Er zijn oplossingen te bedenken die voor iedereen werken en die minder data opslaan. De klant wil niet het aantal kilometer tot zijn pizza weten, maar het aantal minuten. Berekenen hoe lang het duurt voor de pizza er ongeveer is, is voor navigatie-algoritmes geen enkel probleem. Door alleen het aantal minuten tot de aankomst aan te geven, heeft zowel de klant als de baas minder privacy-schendende informatie in het systeem.

Zo zijn er veel gevallen waar langer en kritischer nadenken leidt tot een oplossing die zowel de privacybelangen en het design als de bedrijfsprocessen ten goede komen.

PRINCIPE 4

BESCHERM JE DATA

Je zult informatie willen verzamelen over het gebruik van je creatie. Het opslaan van die informatie in de 'cloud' kan dan verleidelijk of zelfs onvermijdelijk worden. Maar het zou niet vanzelfsprekend moeten zijn.

De 'cloud' is in wezen een mooie naam voor 'andermans computer'. Door deze vervanging worden de spanningen al beter zichtbaar: van wie is die computer? In welk land staat die computer? Vele critici hebben er op gewezen dat termen als 'cloud' en 'cyberspace' misleidend zijn omdat ze ons doen geloven dat het internet een grenzeloze en non-politieke plek is. Maar andermans computer staat altijd in een bepaald land, en dat land heeft eigen regelgeving over privacy en data-eigendom.

Sommige landen spelen hier actief op in. Zo profileert IJsland zich als een land waar journalistieke vrijheden ook naar het internet worden doorgetrokken. Ierland is ook een populair land voor de opslag van grote hoeveelheden data, precies vanwege de flexibele lokale regelgeving. Ook Nederland is enorm sterk aanwezig op het internet, maar dat is voornamelijk historisch zo gegroeid. Een van de eerste grote internet knooppunten, de Amsterdam Internet Exchange, werd hier ontwikkeld.

De eerste vraag die elke ontwerper zich zou moeten stellen is: is het essentieel om deze data in de cloud (andermans computer) te bewaren? Neem bijvoorbeeld fitness trackers. Deze hebben toegang tot extreem persoonlijke informatie, en die informatie wordt in veel gevallen standaard naar 'andermans computer' verzonden, bijvoorbeeld om het gemakkelijk online te kunnen delen. Maar in theorie is het niet nodig om de data naar het internet te uploaden. Fitness trackers zouden de data ook lokaal op de smartphone kunnen bewaren, en van daaruit de informatie eventueel kunnen vergelijken of verrijken met andere via het internet verkregen data. Ook het delen op sociale netwerken zou dan nog steeds mogelijk zijn.

Als de data online wordt opgeslagen is de vraag
in welk land dat gebeurt. De Europese Unie biedt de
eindgebruiker in theorie een betere privacybescherming
dan de Verenigde Staten[69].

VOORBEELD:

Citizen Ex project van James Bridle
Het Citizen Ex project toont je waar de websites die
je gebruikt eigenlijk fysiek staan. Het kunstproject
genereert een nieuwe vlag, waarin de vlaggen
van alle landen waarin je data worden opgeslagen,
worden vermengd. Het zal je niet verbazen dat de
servers van veel populaire diensten in de Verenigde
Staten staan.

Tenslotte zou het vanzelfsprekend moeten zijn om data versleuteld op te slaan. Over encryptie zijn boeken vol geschreven, want data verstoppen is echt tot een wiskundige kunst verheven. De mogelijkheden zijn legio. Voor de meest gangbare scenario's zijn inmiddels goede encryptiestandaarden ontwikkeld. Gebruik die en wantrouw eenieder die voorstelt zelf een nieuwe standaard te ontwikkelen[70]. Deze standaarden maken het mogelijk om relatief pijnloos zowel de communicatie als de opslag van data te versleutelen, en het is onverantwoord en nalatig om dat niet te doen.

Het is tegenwoordig ook de vraag of je als dienstverlenende partij zelf nog toegang wilt hebben tot de data van de gebruikers. Zo claimt Apple de berichten die haar gebruikers versturen zelf niet te kunnen lezen[71]. Ook cloud-opslag bedrijf SpiderOak claimt trots dat zij (en eventuele hackers van hun systemen) nooit stiekem in de door hun gebruikers gestalde bestanden kunnen kijken[72]. De keerzijde is dan wel dat de gebruiker zelf verantwoordelijk is voor het beheer van de sleutel. Als de gebruiker die kwijtraakt, is de data verloren. Helemaal verenigbaar zijn veiligheid en gebruiksgemak niet.

Interview

Jaap Stronks

Jaap Stronks, online strateeg en eigenaar bij Bureau Bolster, een online communicatiebureau uit Rotterdam dat bekend staat om zijn privacybewustzijn.

"Ik herken dat nog niet heel veel bureaus met privacy bezig zijn, maar ik verwacht dat dit gaat veranderen. Ik verwacht dat privacy een USP wordt: een 'unique selling point'. Ik verwacht dat steeds meer bedrijven zich hiermee gaan onderscheiden.

Privacy is essentieel voor een gezonde rechtstaat. Ik vind dat internetbureaus ten aanzien van de maatschappij, hun gebruikers en zichzelf in dezen een verantwoordelijkheid dragen.

Dat uit zich in onze ontwerpen, waarin we een aantal dingen 'default' regelen. Al het verkeer moet versleuteld zijn, dus via een https verbinding. Vervolgens moet die informatie versleuteld worden opgeslagen. Als het open en bloot op een server staat, is dat een heel kwetsbaar punt. Ook de socialmedia-deelknopjes, die kunnen echt niet meer. Voor een klein beetje toe te voegen functionaliteit verkoop je je gebruikers aan grote software en analytics boeren. We gebruiken ook geen externe analytics meer. Dit soort dingen willen we gewoon 'default' goed regelen.

Ik word blij van projecten als Let's Encrypt omdat het een mentaliteitsverandering teweegbrengt. De boel moet gewoon versleuteld zijn. Ook apps als Signal zijn een stap in de goede richting.

Privacy als default is mooi, maar er zou ook een propositie moeten zijn die aantrekkelijk is voor het publiek.

Voor de gemiddelde gebruiker is de verleiding om één keer iets privacy-onvriendelijks te doen heel groot want je loopt niet heel veel schade op per handeling. De schade ontstaat in cumulatieve zin doordat alles altijd voor de meeste mensen privacy onvriendelijk is. Maar dat kun je niet terugbrengen tot één individueel moment. Daarnaast is er sprake van een netwerk effect. Als iedereen op whatsapp zit, dan kan het nog zo privacy-onvriendelijk zijn, maar je wordt een paria als je daar ook niet opzit. Hetzelfde geldt voor Facebook.

Je hebt een aantal voorvechters nodig die een kritische massa opbouwen en die een soort sneeuwbaleffect kunnen bewerkstelligen. Dat kun je nog niet van gebruikers verwachten.

Je zult de privacy op andere niveaus moeten regelen. Het is allereerst aan de ontwerpers en aan de opdrachtgevers.

Daar moet een ethiek bestaan. Daarom zou het handig zijn als er bepaalde codes of conduct zijn, of keurmerken. Als dat keurmerk zegt "dit is volgens bepaalde principes gebouwd", kan de gebruiker in één oogopslag zien hoe het zit.

Het promoten van allerlei standaarden, zoals zo'n keurmerk, moet plaatsvinden op het niveau van brancheorganisaties, toezichthouders, opleidingen en overheden. Dat is, denk ik, de richting die het op moet. Zeker ook met de opkomst van het Internet of Things. Als al die apparaten ons tracken, staat ons een privacy-ramp te wachten."

PRINCIPE 5

BEGRIJP
IDENTITEIT

Menselijke identiteitsvorming is een complex proces, en ook onze onderlinge contacten vormen vaak een complex stukje sociaal theater[73]. Digitale systemen weten deze complexiteit nog niet altijd even goed de ruimte te geven.

Ook hier levert Google weer een mooi voorbeeld. In 2012 introduceerde het bedrijf op haar sociale netwerk Google+ de zogenaamde 'real name policy'[74]. Dat hield in dat gebruikers voortaan verplicht zouden worden om hun echte naam te gebruiken. Het idee was dat deze regel misbruik zoals spam of vervelende comments kon tegengaan.

Het leidde tot een stroom van protesten en een waslijst aan argumenten die de ontwerpers over het hoofd hadden gezien. Vrouwen die ooit waren gestalkt, durfden bijvoorbeeld niet hun echte naam te geven. Mensen die al jaren een pseudoniem gebruikten (waaronder schrijvers), wilden die blijven gebruiken. Homo-jongeren waren bang dat hun identiteit bekend zou worden, iets dat in kleine dorpjes serieuze gevolgen zou kunnen hebben voor de hele familie.

Google liet het idee al snel varen en bood haar excuses aan. Maar nog altijd ontstaan er nieuwe diensten die proberen burgerlijke beleefdheid technologisch af te dwingen. Volgens Eva Galperin van de Electronic Frontier Foundation, een Amerikaanse organisatie die digitale burgerrechten verdedigt, hebben deze goed bedoelde regels vaak een gevaarlijke uitwerking:

"The problem with the civility argument is that it doesn't tell the whole story. Not only is uncivil discourse alive and well in venues with real name policies (such as Facebook), the argument willfully ignores the many voices that are silenced in the name of shutting up trolls: activists living under authoritarian regimes, whistleblowers, victims of

*violence, abuse, and harassment, and anyone with
an unpopular or dissenting point of view that can
legitimately expect to be imprisoned, beat-up, or
harassed for speaking out."*

—Eva Galperin[75]

De realiteit kan, helaas, ongezellig zijn. Het is verleidelijk
om goed gedrag te willen afdwingen. Maar in de praktijk
blijkt het belangrijk om ook online ruimte te laten
voor grijswaarden en rafelrandjes. Het lijkt met andere
woorden belangrijk dat digitale systemen dezelfde
complexe identiteitsconstructies mogelijk maken die we
ook uit de offline wereld kennen.

Het toestaan van meerdere identiteiten is niet alleen
een manier om minderheden te beschermen, iedereen
heeft baat bij systemen die complexe vormen mogelijk
maken. Wanneer dat niet kan, ontstaat er 'context
collapse', stelt Danah Boyd, onderzoeker jongerencultuur
bij Microsoft[76]. Dit concept beschrijft hoe mensen binnen
verschillende contexten diverse rollen spelen. Mensen
gedragen zich in het dagelijks leven anders bij hun
schoonouders dan in de kroeg. Maar technologische
systemen, zoals sociale netwerken, maken het soms
moeilijk om die verschillende facetten online gescheiden
te houden. Onze identiteiten 'storten dan ineen' tot
één identiteit die voor iedereen zichtbaar is. Dat kan
vervelende gevolgen hebben, zoals wanneer een uitspraak
over je werk in privé-context gelezen wordt door je baas.
Vaak gaan mensen dan 'Facebook theater' spelen, een
praktijk waarin mensen online een gepolijst imago creëren
dat niemand tegen de haren in strijkt.

→ Danah Boyd, p.140

Zorg dat je creaties deze complexiteit respecteren en dat mensen zichzelf selectief kunnen verbergen en delen. Laat mensen je creatie op zijn minst gebruiken met een (mogelijk nep) e-mail-adres of een pseudoniem.

VOORBEELD

So Uk, Hong Kong

I know where your cat lives

Een bekende cartoon uit de begintijd van het internet toont een hond die achter een computer zit en op het internet surft met daaronder de tekst "On the internet nobody knows you're a dog". Katten hebben evenwel een stuk minder privacy door de website www.iknowwhereyourcatlives.com van kunstenaar Owen Mundy. Deze website toont een kaart met daarop de vermoedelijke woonplaats van allerlei huiskatten, compleet met foto. Hij wilde laten zien dat we online goed traceerbaar zijn, doordat in digitale foto's en status updates ook de GPS-locatie verweven wordt van de plek waar de foto genomen is. Om het minder eng te maken, deed hij het alleen

voor kattenfoto's. Maar een goed verstaander heeft
aan een half woord genoeg.

VOORBEELD

Realname protest
Felle protesten tegen Google's nieuwe regels die
gebruikers dwongen om online hun echte naam te
gebruiken, hadden effect. Google stopte met deze
praktijk en bood haar excuses aan.

VOORBEELD

Perks

Klout Perks are exclusive rewards you earn because of the impact you have online. Every day, Klout users receive amazing products, special discounts, and VIP access because of their influence in certain topics.

Learn more.

Klout.com

De website Klout.com meet hoe groot de invloed is van social media-gebruikers. Wie bijvoorbeeld veel Twittervolgers en Facebookvrienden heeft krijgt een hogere 'Klout score'. Die populariteit is via Klout weer in te wisselen voor voordeel, zoals een gratis upgrade naar een betere hotelkamer. De deelnemende bedrijven hopen, dat je dan je invloed gebruikt om je volgers te verleiden ook van hun diensten gebruik te maken óf dat je een goede review achterlaat. Klout biedt 'perks', zoals een betere hotelkamer, voor mensen die online veel invloed hebben.

PRINCIPE 6

OPEN DE BLACK BOX

Veel ontwerpers van 'slimme' producten dromen van 'onzichtbare' interfaces. De gedachte is dat al die slimme objecten je zo min mogelijk lastig zouden moeten vallen. Slimme dingen zouden immers met ons mee moeten denken en zo tijd moeten besparen, als een butler die onzichtbaar is tot je hem of haar nodig hebt.

Maar volgens veel design critici, zoals ook onderzoeker en designleraar Timo Arnall, is dit een gevaarlijk denkbeeld[77]. Wanneer objecten niet duidelijk maken hoe ze werken en onzichtbaar gaan communiceren, wordt het steeds lastiger om te begrijpen wat ze kunnen en met wie of wat ze communiceren. Je wordt gedwongen om te vertrouwen op de ontwerpers en beheerders van het systeem en moet er maar vanuit gaan dat hun keuzes voor jou goed uitpakken. Je creatie wordt een zogenaamde 'black box'.

→ Affordance, p.120   → Black Box, p.121

Veiligheidsspecialisten ontdekken helaas geregeld apparaten die onder het oppervlak allerlei rare dingen blijken te doen. Uit onderzoek van het Massachusetts Institute of Technology (MIT) bleek bijvoorbeeld dat meer dan de helft van alle mobiele apps tegenwoordig persoonlijke data doorsluizen naar derde partijen[78]. Die verdienen geld door het netwerk en het gedrag van gebruikers in kaart te brengen. Dit is vaak alleen te achterhalen met speciale software, die precies uitpluist wat er allemaal over het netwerk wordt verzonden.

Wees open over de partijen waarmee je slimme product communiceert en data uitwisselt.

En geef je gebruiker macht over die communicatie. Om dat mogelijk te maken stelt Professor Matthew Chalmers voor dat we deze slimme omgevingen 'seamful' ontwerpen[79]. Seamful design betekent letterlijk 'ontwerp met naden'. Door mensen op de grens tussen apparaten macht te geven over hoe en wanneer de apparaten

onderling communiceren kunnen we grip houden op
roddelende producten en diensten.

Dit kan al op een zeer eenvoudige manier. Chalmers
stelt voor om apparaten minimaal één fysieke schakelaar te
geven waarmee kan worden bepaald of iets überhaupt mag
kwebbelen.

Naast de vraag met wie er wordt gecommuniceerd,
is het vaak ook niet duidelijk hoe de software 'denkt'.
Wanneer slimme apparaten keuzes voor ons maken is
vaak onmogelijk te achterhalen hoe zo'n keuze tot stand
is gekomen. Vooral wanneer dit soort systemen niet
goed werkt, leidt dat tot frustratie. Zo kan een slimme
thermostaat misschien een sneeuwstorm verwachten
en daarom de kachel extra hard aanzetten. Maar als dat
in Hawaii gebeurt, dan is er duidelijk iets mis met het
systeem. Maar wat? Is de sensor kapot? Lag het probleem
bij de software? Is er iets mis met de webserver? En
hoever 'kijkt' de kachel eigenlijk vooruit?

Volgens professor Paul Dourish is de opkomst van
de smartphone een mooi voorbeeld van de weerstand
die de maatschappij biedt tegen onzichtbare interfaces.
Smartphones hebben volgens hem juist zo'n grote vlucht
genomen omdat ze ons toegang bieden tot complexe
informatie over onze omgeving[80]. Ze kunnen voor
elk apparaat een andere interface tonen en vormen
daardoor de ultieme universele afstandsbediening voor
onze omgeving. Ze kunnen, indien gewenst, bij slimme
producten en diensten toegang bieden tot de privacy-
instellingen, de huidige gedachten en afwegingen
van het apparaat en de communicatiepartners. En ze
kunnen ook aangeven waarom het systeem dacht dat
er een sneeuwstorm aankwam. Tenminste, als we ze zo
ontwerpen. → Paul Dourish, p.139

Wanneer systemen weinig inzicht bieden in hun
beweegredenen, gaan gebruikers die systemen al snel

antropomorfiseren. Ze kennen er gedrag en eigenschappen aan toe alsof de systemen of apparaten leven. Het slimme product heeft dan 'zijn dag niet' bijvoorbeeld. Dat klinkt schattig, maar het is ook een teken dat de gebruiker de controle over zijn omgeving kwijt is.

→ Aantropomorfisering, p.120

Pas dus op voor deze onzichtbaarheidsfetisj. Geef je gebruiker inzicht in wat een slim systeem aan het doen is, met wie of wat het communiceert, en hoe je dat uit kunt zetten.

Wel/niet kletsen iconen

Mag niet praten, mag praten op het lokale netwerk (thuis), mag praten op het lokale netwerk en met het internet

VOORBEELD

Nest thermostaat

Het schoolvoorbeeld van het Internet of Things is
de Nest thermostaat. Dit is een 'slimme' thermostaat
die je dagritme probeert te leren, en op die manier
de thermostaat van je huis optimaal kan instellen.
De eerste paar weken stel je hem zelf in, en na
een tijdje begrijpt de Nest wat de bedoeling is.
Tenminste, dat is de bedoeling. In 2016 waren
kopers verbolgen omdat hun Nest door een bug
hun huis koud liet[81].

PRINCIPE 7

MAAK DE GEBRUIKER ONTWERPER

Wanneer slimme objecten minder inzicht geven in hun werking, ontstaat er een potentieel maatschappelijk probleem: we stimuleren kennisloosheid op het gebied van technologie. In een wereld waar technologie steeds belangrijker wordt is dat een strategie die op de lange termijn slecht zou kunnen uitpakken. Om dat uit te leggen, moeten we het hebben over interface-cultuur.

Een populaire manier van denken onder ontwerpers is dat de interactie met interfaces - het oppervlak waar je met een systeem interacteert - 'natuurlijk' zou moeten zijn. Zo wordt de aanraking van een touchscreen als 'natuurlijker' gezien ten opzichte van het gebruik van een muis.

Het is zeker waar dat onze lichamen gebouwd zijn om dingen aan te raken en aan te wijzen, maar de natuurlijkheidsmetafoor laat ons soms vergeten dat we de ervaring met de verschillende veegbewegingen die je op hedendaagse touchscreens tegenkomt, niet via ons DNA meegekregen hebben. Wie zijn oma wel eens een iPad heeft gegeven, weet dat 'pinch to zoom' niet zo vanzelfsprekend is als we zouden hopen.

Hoe interfaces werken is, met andere woorden, een deel van onze culturele bagage. We leren allemaal gedurende ons leven deze interface-taal spreken. Die kennis maakt het ook weer gemakkelijker om de werking van nieuwe interfaces snel te achterhalen. Wie bijvoorbeeld met een iPhone heeft leren werken, heeft ook vrij snel door hoe een Android telefoon werkt.

Ontwerpers vertrouwen op de aanwezigheid van deze kennis bij het brede publiek. Maar een focus op gebruiksgemak leidt soms tot een onwil om mensen te confronteren met nieuwe interface-concepten.

Soms is dat echter wel nodig. Stel je bijvoorbeeld eens voor dat je de auto nog zou bedienen zoals je een paard bedient. Dat je 'Hortsik!' zou moeten zeggen om de motor te starten, en dat je stuurt met teugels. We hadden de eerste

autobezitters (eind 19e eeuw) dan geen nieuwe interface
hoeven leren gebruiken. Maar een stuur en gaspedalen
bieden een vele malen preciezere besturing.

Steampunk science fiction schrijvers en filmmakers beleven vaak veel plezier
aan het herbouwen van hedendaagse technologische capaciteiten met 19e
eeuwse interfaces

Voor een wereld vol slimme apparaten zijn evenzo nieuwe
concepten nodig. Nieuwe concepten die beter werken dan
die we nu hebben. En die zullen we mensen toch moeten
aanleren.

Een pragmatische stok achter de deur is dat het
schier onmogelijk blijkt om als ontwerper alle situaties
te voorzien waarin je creatie gebruikt (of misbruikt) gaat
worden, aldus hoogleraar en etnograaf Lucy Suchman in
haar boek Situated Actions[82]. Er zijn duizenden culturen
met elk hun eigen gebruiken, en zelfs binnen één cultuur
is het lastig om alle werkwijzen te overzien.

Waar platte interfaces nog relatief goed wegkwamen
met de mentaliteit 'one-size-fits-all', zullen slimme objecten

veel meer rekening moeten houden met bestaande,
ingesleten, culturele patronen. Een slimme fiets zou in de
Nederlandse cultuur bijvoorbeeld ander 'gedrag' moeten
vertonen dan in de Amerikaanse cultuur.

→ Lucy Suchman, p.139

Wanneer slimme producten en diensten goed aan te
passen zijn, kunnen de eindgebruikers dit 'laatste stukje'
zelf oppakken.

Er lijken allerlei veelbelovende nieuwe interfaces te
ontstaan die hiermee spelen. Een mooi voorbeeld is 'If This
Then That', een website waarop mensen diensten kunnen
koppelen op een manier die op een sterk versimpelde vorm
van programmeren lijkt[83]. In een wereld waarin bijna alles
in onze omgeving een technologische component heeft,
is het helemaal niet zo'n gek idee om iedereen een klein
beetje te leren programmeren, zodat iedereen op zijn minst
de werkwijze van deze apparaten leert kennen.

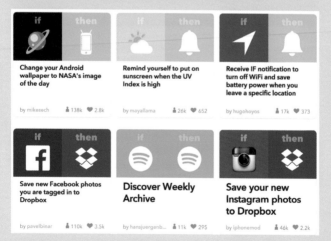

Voorbeelden van recepten op iffttt.com

In een wereld die is doordrenkt met genetwerkte technologie worden ontwerpers uitgedaagd deze educatieve rol op te pakken. In plaats van afgeronde producten te maken die 'vanzelf' werken, zouden we lego-achtige interfaces moeten ontwikkelen[84]. Dat zou de gebruiker op een toegankelijke manier controle geven over het gedrag dat deze creaties kunnen vertonen. Met name het complexe gedrag dat tussen systemen kan ontstaan is anders moeilijk inzichtelijk en controleerbaar te maken.

In het meest ideale geval ontstaat er een maatschappij waarin mensen naar technologie kijken zoals ze nu naar koken kijken. Het is namelijk best raar dat we allemaal een fascinatie hebben voor koken, want in theorie is koken een 'opgelost probleem' Sinds de ontwikkeling van de magnetron en de kant-en-klaar maaltijd hoef je in principe nooit meer zelf te koken en zou je kunnen vertrouwen op de koks van die maaltijden en de markt waarin dit eten ontstaat.

De praktijk is echter anders. De meeste mensen eten liever zelf bereid voedsel, en kijken neer op magnetronmaaltijden. We koken juist heel graag zelf, we vinden het leuk en interessant. We ontwikkelen onze eigen recepten en passen gerechten naar eigen smaak aan. Wie voedsel kan 'programmeren' (koken), wordt zelfs sexy gevonden.

Net zoals je een traditionele interface zou willen aanpassen aan de cultuur van de gebruiker (grotere knoppen voor ouderen bijvoorbeeld), zou je het gedrag van de slimme omgeving ook willen kunnen aanpassen aan de lokale situatie. Dat kan eigenlijk niet zonder de hulp van de gebruiker. Maar die moet dan wel het lef en de kennis hebben om dat te doen. Gebruiksgemak en eenvoud zijn mooi, maar we zouden gebruikers ook altijd moeten uitdagen om meer te blijven leren en meer te ontdekken over wat er kan, om hem zo tot mede-ontwerper van zijn of haar slimme omgeving te maken. Dat is een enorme, bijna educatieve uitdaging waarvoor nieuwe vormen van design ontwikkeld moeten worden. Als we dat niet doen, groeit de afhankelijkheid, en blijven we zitten met een enorme digitale kloof[85]. ⟶ Affordance, p.120

In de toekomst is je iMac misschien wel net zo belangrijk in je keuken als een fornuis.

VOORBEELD

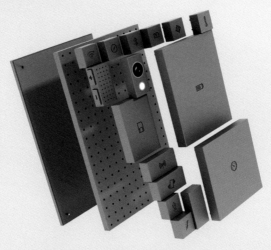

Dave Hakkens - Phoneblocks

De Nederlandse ontwerper Dave Hakkens studeerde in 2013 af op zijn Phone Blocks concept. Hij zag de voordelen van modulaire producten, zoals hedendaagse desktop pc's, en vroeg zich af of apparaten zoals onze smartphones echt niet modulair te maken waren. Hij ontwikkelde een campagne waarin hij dit idee nog eens breeduit ventileerde. Deze werd zo goed opgepikt dat hij uiteindelijk als consultant mocht meedenken aan Google's 'Project Ara', een prototype modulaire smartphone. Google is een van de vele bedrijven die het concept voor de modulaire smartphone aan het uitwerken zijn. Een mooi Nederlands voorbeeld dat zelfs al op de markt is, is de Fairphone.

PRINCIPE 8

TECHNOLOGIE IS NIET NEUTRAAL

De afgelopen jaren hoor je in Nederland steeds meer over 'Value Sensitive Design'[86]. Dit vakgebied, dat al in de jaren '80 werd omschreven, onderzoekt hoe er binnen designprocessen meer gevoeligheid voor menselijke waarden, zoals privacy, kan worden ingebouwd. Eén van de experts op dit vakgebied is de Nederlandse hoogleraar technologie-ethiek Jeroen van der Hoven, werkzaam bij de TU Delft.

De kern van dit vakgebied, stelt hij, draait om het besef dat technologieën in de praktijk niet neutraal zijn: de bewuste en onbewuste aannames en doelstellingen van de ontwerper zijn er in terug te lezen. Het is belangrijk dat we hier bewuster mee leren omgaan, want de, door de ontwerpers gemaakte, keuzes en voorkeuren werpen grenzen op voor andersoortig gebruik.

Een voorbeeld van een bewuste keus is terug te zien in de drones die het Chinese bedrijf DJI Phantom produceert. Deze drones hebben sinds kort een nieuwe restrictie ingebouwd gekregen: ze bepalen met behulp van GPS waar ze op aarde zijn, en weigeren vervolgens om boven plekken als het Witte Huis te vliegen[87].

Het is een voorbeeld van een principe dat professor Lawrence Lessig samenvat als 'Code is Law'[88]. De programmeercode van slimme producten vormt in dit soort gevallen een letterlijk ingebouwd wetboek. Het wel of niet breken van de wet is geen keus meer, het wordt al in het apparaat zelf onmogelijk gemaakt.

Dat klinkt misschien goed, maar het leidt in wezen tot het interpreteren van de wet door ontwerpers. In het dagelijks leven hebben we professionals aangesteld, rechters, die de wet helpen interpreteren omdat we al lang hebben geleerd dat een 'one size fits all' mentaliteit niet werkt. Wie de wet te strikt interpreteert, creëert nieuwe uitwassen. Ook de ontwerpers van onze wetten kunnen niet alle situaties voorzien waarin die wet wordt opgeworpen. Onze wetten lijken in die zin verdacht veel op programmeercodes. Ze zijn het resultaat van mensenwerk, zitten vol gaten, uitzonderingen en onverwachte neveneffecten.

VOORBEELD

Assen Sensorcity & Stratumseind

In Assen werd in 2012 een netwerk van sensoren geïnstalleerd. Aan lantarenpalen werden onder andere microfoons, luchtkwaliteitssensoren en Bluetooth sensoren (waarmee de beweging van andere apparaten met Bluetooth door de stad te volgen zijn) opgehangen. Dit sensornetwerk zou nieuwe inzichten moeten verschaffen over geluidsoverlast, luchtkwaliteit en verkeersdruk. Uiteindelijk zou met deze kennis het leven in de stad 'real time' beïnvloed kunnen worden. Een subtiel voorbeeld daarvan is te vinden in Eindhoven, waar de sfeer in Stratumseind, een beruchte uitgaansstraat, wordt beïnvloed door slimme verlichting die agressiegevoelens moet verminderen.

Naast deze concrete link tussen wetboek en programmeercode is er ook een veel subtielere vorm van invloed: de culturele. De algoritmes die in slimme producten en diensten verwerkt zijn, worden ontwikkeld door mensen die deel uitmaken van een bepaalde cultuur. De dominante ideeën die in die cultuur leven, zijn vaak in die producten terug te lezen.

Neem bijvoorbeeld taxi-bestel-app Uber, een voorbeeld van een platform dat arbeid flexibiliseert: zet de app aan, en je bent een taxi. Er is geen contract nodig.

Deze en soortgelijke platformen zijn gestoeld op een Amerikaanse voorliefde voor ondernemerschap en de principes van het 'survival of the fittest'. Het is binnen de Amerikaanse cultuur geen probleem dat apps als Uber de taxi-industrie opzijschuiven, want blijkbaar was die sector gezapig geworden en klaar voor 'disruption'; verstoring door nieuwe bedrijven.

Volgens critici is het voor Uber belangrijker dat de maatschappij goedkoop toegang tot vervoer heeft, dan dat het vervoer volgens de regels gebeurt (echte taxi's hebben allerlei verplichtingen) of een goede boterham oplevert voor de chauffeur. Maar of de maatschappij als geheel beter af is door Ubers verstorende werking is nog maar de vraag.

Het idee dat technologieën discriminerende effecten kunnen hebben is niet nieuw[89]. Een berucht voorbeeld zijn de bruggen die de New Yorkse stadsplanner Robert Moses begin 20e eeuw liet bouwen. Deze bruggen naar de eilanden rondom New York waren niet toegankelijk voor bussen van het openbaar vervoer. Daardoor werd armen die zich geen auto konden veroorloven, de toegang tot deze stranden lastig gemaakt.

Het begrijpen van deze 'normerende werking' van technologie wordt steeds belangrijker, omdat technologie steeds meer handelingsvermogen verzamelt: van

huizen en auto's die opwarmen of rondrijden onder
het wakend oog van een algoritme, tot algoritmes die
sollicitatiebrieven of aanvragen voor verzekeringen
afwijzen. Systemen, die op basis van slecht ontworpen
algoritmes 'zelf' keuzes maken over onze levens, kunnen
steeds meer schade gaan aanrichten[90].

De privacy designer zal zich staande moeten houden
tussen de nieuwe debatten over wat het betekent om
mens te zijn binnen deze systemen en op basis van
welke ideologieën deze algoritmes ontworpen zijn.
Deze algoritmes, en de voorkeuren die daarin zijn
ingebouwd, zijn vaak het resultaat van discussies over de
optimale relatie tussen werkgever en werknemer, tussen
activisten en lobbyisten, tussen burger en staat en andere
stakeholders die tegenovergestelde belangen hebben.
Midden in al deze spanningsvelden staat de ontwerper,
de privacy-designer, die keuzes moet gaan maken over het
verloop van vele mensenlevens.

Met het vooruitzicht van deze last op de schouders,
vraagt designjournalist Jeroen Junte zich af of het geen
tijd wordt voor een eed die ontwerpers zouden moeten
afleggen, net zoals artsen dat doen[91]. Daarin zouden
ontwerpers moeten beloven om kritisch te blijven
nadenken over deze vraagstukken en op te komen voor
de zwakkeren in de maatschappij.

Het risico dreigt dat er anders ontwerpers opstaan
die simpelweg doen wat de klant vraagt, en vervolgens
daarmee de verantwoordelijkheid bij de klant leggen.
Dat is onwenselijk; de klant kan vaak de complexiteit,
die in het web van regelgeving en cultuur ontstaan is,
minder goed overzien. Er lijkt ruimte voor professionals:
ontwerpers die zich specialiseren in ethische kwesties
omtrent data en privacy. Zij zouden wel eens een gouden
toekomst tegemoet kunnen gaan.

VOORBEELD

In samenwerking met journaliste Sanne van der Beek ontstond navolgende mogelijke formulering van een hedendaagse privacy design eed:

PRIVACY DESIGN EED

 Ik zweer bij Isodorus van Sevilla, Lawrence Lessig en met alle privacy- en designgrootheden als getuigen, om mij naar mijn beste oordeel en vermogen aan de volgende eed te houden:

Ik zal in mijn ontwerpen de menswaardigheid in het algemeen en het recht op privacy in het bijzonder, respecteren.

Ik zal zorg dragen voor mijn ontwerpen, beseffen dat ze nooit af noch perfect zijn en ze continu verbeteren in lijn met de laatste ontwikkelingen.

Ik begrijp dat er grenzen zitten aan design en aan de mate waarin ik de situatie waarin mijn ontwerp terecht komt kan overzien.

Ik maak het gemakkelijk om mijn creaties aan te passen aan iemands persoonlijke leefomgeving en culturele context.

Ik erken dat mijn creaties een samensmelting zijn van technologische ontwikkelingen en menselijke drijfveren, en zal proactief handelen om te anticiperen op normerend, exploiterend, crimineel of ander mensonterend gebruik van mijn creaties en de kans op misbruik te minimaliseren.

Ik zal het vertrouwen in mijn ontwerpen niet beschamen.

Ik beloof dat ik de grenzen van wat maakbaar is in de gaten houd, en mezelf zal ontwikkelen tot iemand met de historie en diepgang die van een ontwerper mogen worden verlangd. Ik zal mij niet onkritisch committeren aan ideologieën en hypes.

Al hetgeen mij ter kennis komt in de uitoefening van mijn beroep of in het dagelijks verkeer met mensen en dat niet behoort te worden rondverteld, zal ik geheim houden. Moge ik, als ik deze eed getrouwelijk houd, vreugde vinden in mijn leven en in de uitoefening van mijn kunst, maar moge het tegenovergestelde het geval zijn indien ik deze eed schend.

Ik zal mij verre houden van iedere welbewuste slechte daad en van elke verleiding.

Naam   Handtekening   Datum

De Eed

Huisartsen leggen de eed van Hippocrates af. Met
het uitspreken van deze eed, die werd geformuleerd
in 400 voor Christus, beloven artsen de belangen
van de patiënt altijd voorop te stellen en alles te doen
om leed en letsel te voorkomen.

VOORBEELD

China's Sociale Krediet Score

In China wordt op dit moment gebouwd aan een
systeem dat alle burgers een score geeft die hun
goed-burgerschap inzichtelijk maakt. Allerlei
factoren worden in die score meegenomen,
zoals het wel of niet hebben van een strafblad,
kredietwaardigheid en het gedrag op sociale media.
In het jaar 2020 moet het systeem volledig draaien.
Het doel is het stimuleren van 'oprechtheid' onder
de Chinese burgers.

VOORBEELD

Heel Holland Transparant

In het project 'Heel Holland Transparant' stelden de journalisten van de Correspondent, samen met kunstenaar en ontwerper Yuri Veerman, een ranglijst op van 77 bekende en onbekende Nederlanders. Nette Nederlanders kregen een hoge score, minder brave burgers kregen een lage score. Ze gebruikten daarbij hun publiekelijk beschikbare data om burgers met elkaar te vergelijken. Factoren die een rol speelden waren bijvoorbeeld het percentage 'negatieve tweets', de criminaliteitsscore, het gemiddelde inkomen van de wijk waar iemand woont, vermelding in het faillissementsregister, en zelfs het energielabel van de woning. Het project was een aanklacht tegen de opkomst van wat ze de 'scorebord maatschappij' noemden. Grote verliezer was Bram Moszcowicz.

VOORBEELD ANALYSE

Hoe werken de 8 genoemde privacy design principes in de praktijk? Laten we eens een voorbeeld bekijken.

Stel, je wilt iets bouwen dat een data-gebaseerde gezondheidsclaim doet. Wellicht bouw je een huis dat bijhoudt hoe de interne luchtkwaliteit is en daartoe ook vastlegt welke bewoners op welke tijdstippen thuis zijn. Of je ontwerpt een orthopedische schoen die, dankzij ingebouwde sensoren, kan analyseren of iemand goed loopt en of de drager wel genoeg beweegt.

Als de principes in dit boek gevolgd zouden worden, zouden ontwerpers van gezondheids-gerelateerde creaties bewust hebben nagedacht over de maatschappelijke impact van de creatie en is er een langetermijnplanning voor de veiligheid opgesteld (principe 1). Daarbij zijn niet alleen de positieve gevolgen onderzocht, maar ook de mogelijkheden tot creatief misbruik, voor zover die te overzien zijn (principe 2). Er is bedacht hoe de benodigde data geminimaliseerd kan worden (principe 3). Deze creatie zou deze data vervolgens niet meteen naar de cloud doorsturen. Idealiter zou de opslag lokaal op het apparaat middels encryptie plaatsvinden (principe 4). Ook de communicatie tussen sensoren en smartphone zou altijd zo versleuteld mogelijk moeten plaatsvinden. Als de gebruiker dat echt wil, kan er anoniem gebruik gemaakt worden van de dienst (principe 5).

De gebruiker zou vervolgens zelf kunnen bepalen (principe 7) of de creatie deze data verder mag overdragen, bijvoorbeeld naar het internet. Idealiter met een fysieke schakelaar die de radio aan-, of uitzet. Elke volgende stap biedt de gebruiker weer de keus om de sluis naar een hoger niveau open of dicht te zetten. Mag de app data hebben? Zo ja, mag de app die data doorspelen naar de cloud? Zo ja, mag de cloud server de data verder delen met andere diensten of partners van het bedrijf? (via een zogenaamde API bijvoorbeeld).

Het hele proces is en blijft voor de gebruiker inzichtelijk (principe 6). Op dezelfde manier als het batterijverbruik terug te zien is, is ook terug te zien wélke persoonlijke informatie wánneer is verstuurd, en naar wélke apparaten of bedrijven dat gebeurde. Waar nodig kan de gebruiker aanpassingen in het systeem aanbrengen. Zo wordt de gebruiker optimaal beschermd tegen paternalistische effecten (principe 8).

Laten we dat product eens vergelijken met de op één na meest verkochte fitness tracker op aarde, de Xiaomi Mi band[92].

Privacy productanalyse

Privacylabel   Product Xiaomi Mi Band

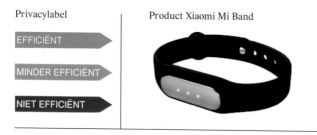

EFFICIËNT

MINDER EFFICIËNT

NIET EFFICIËNT

PRINCIPE 1   Het is lastig in te schatten hoe goed Xiaomi van tevoren heeft nagedacht over privacyvraagstukken. De reputatie is niet al te goed[93]. En ook de onderstaande punten doen vermoeden dat privacy en veiligheid niet genoeg aandacht hebben gekregen.

PRINCIPE 2   Over creatief misbruik lijkt niet goed nagedacht, getuige de slechte beveiliging. Wel is het goed om te beseffen dat Europese en Chinese normen en waarden nogal verschillen. Wat wij als ongewenste surveillance kunnen zien, zien zij als geoorloofde controle.

PRINCIPE 3   De armband verzamelt non-stop data, en dat is ook nodig voor de beloofde functionaliteit. Dat is in ieder geval helder. Ze meet ook maar één ding, beweging, dus ook dat is niet zo complex. Xiaomi lijkt de data echter in zijn geheel door te sturen naar haar servers, en niet slechts een samenvatting, wat in theorie meer dan voldoende zou zijn[94].

PRINCIPE 4   De data worden niet versleuteld opgeslagen op het apparaat of op de smartphone[95]. Er zijn door hobbyisten stukjes software ontwikkeld waarmee de data van de telefoon te halen zijn. Hopelijk worden de data op de server wel versleuteld opgeslagen, maar dan nóg zou dat alleen dieven weerhouden. De Chinese overheid regelt gewoon toegang tot de data. Dit kan omdat Xiaomi de encryptiesleutel zou hebben en die dan zou delen. De overheid kan kortom achterhalen hoe je dagelijkse leefritme eruitziet. Een positieve noot: de connectie met de webserver wordt wel beveiligd opgezet.

PRINCIPE 5 De app dwingt de gebruiker tot het aanmaken van een online account, maar er is geen dwang om een echte naam te gebruiken[96]. Bovendien is het überhaupt jammer dat een identiteit en communicatie met een server nodig zijn. De armband zou bij anoniem gebruik dezelfde inzichten kunnen bieden.

PRINCIPE 6 Het is niet duidelijk hoe de algoritmes hun werk precies doen[97]. Wat is volgens Xiaomi 'diepe slaap'? Zou de werking van een algoritme in de handleiding opgenomen kunnen worden? Hoe communiceer je de verborgen voorkeuren van een algoritme naar de gebruiker toe? Dit zijn onbeantwoorde design vragen.

PRINCIPE 7 Je data wordt naar de webservers van Xiaomi verzonden. Er wordt je geen keus geboden.

PRINCIPE 8 De prescriptieve mogelijkheden van de Mi-Band lijken beperkt doordat het apparaat niet eenvoudig te koppelen is aan andere diensten. Hoe de algoritmes bepalen waar de grens tussen diepe slaap en lichte slaap ligt, is onduidelijk. Het apparaat maakt verder geen nota van de gezondheidstoestand.

I had
no idea

you share
about me.

how
much

BELANGRIJKE BEGRIPPEN

Affordance

De naam voor 'wat je met
een object kunt doen' en de
manier waarop dat aan de
gebruiker wordt uitgelegd.
Volgens schrijver Donald
Norman laat een goed
product door zijn ontwerp
zien hoe het werkt en
wat je ermee kunt doen.
Een deurklink suggereert
door zijn ontwerp wat je
ermee doet. Een groot
handvat zegt: pak mij. Een
metalen plaat op een deur
zegt: duw tegen mij. Zo
'communiceert' een deur
met ons over de richting
waarin hij open kan. Je
zou dezelfde vraag kunnen
stellen aan slimme objecten:
hoe communiceren die
niet alleen wat er fysiek
mogelijk is, maar ook wat
er met de data kan? De
designtaal voor dit soort
'data affordance' zullen we
de komende jaren samen
moeten gaan vormgeven.

Iconen voor privacywetgeving door
de Europeese Unie

Antropomorfisering

Wanneer producten
of diensten zelfstandig
gedrag gaan vertonen,
maar tegelijkertijd te
weinig inzicht bieden in
de achterliggende interne
perceptie of de ingebouwde
beweegredenen
(algoritmen), zijn mensen
al snel geneigd om
menselijke (of dierlijke)
eigenschappen aan de
systemen toe te dichten.
Een apparaat kan dan
bijvoorbeeld 'een slechte
dag' hebben wanneer
er, vanuit de gebruiker
bezien, onverwacht gedrag
optreedt.

Big data

De term Big Data
beschrijft de praktijk

van het verzamelen en analyseren van grote hoeveelheden data. De populariteit drijft op de belofte dat we met deze gigantische hoeveelheden data nieuwe patronen in onze levens gaan ontdekken die voorheen verborgen bleven, en dat die een 'beter' of efficiënter leven mogelijk maken. Dat kan zowel vóór als tegen ons werken: wie slecht eet of te weinig beweegt, kan daar achter komen en de motivatie vinden om er iets aan te doen. Maar deze inzichten kunnen bij andere partijen ook tot inzichten leiden die misschien niet in ons voordeel zijn, zoals wanneer een zorgverzekeraar weigert een verzekering af te sluiten.Big data wordt vaak omschreven als het nieuwe goud, maar het is eigenlijk de nieuwe olie. Goud klinkt voornamelijk positief, terwijl we bij olie een genuanceerder beeld hebben. Van olie beseffen we ons dat het ook tot milieuproblemen kan leiden. Datalekken en misbruik van data kunnen tot vervuiling van ons digitale milieu leiden.

Black box

We komen overal om ons heen metaforische 'black boxes' tegen. Het zijn apparaten waarvan we weten hoe we ze moeten bedienen, maar niet hoe ze van binnen werken. Een televisie is een black box: je weet hoe de afstandsbediening werkt en dat er een kabel in moet die het signaal doorgeeft. En je weet dat er bij het bedienen beeld uitkomt. Maar alles ertussen is een mysterie. Hoewel alle systemen om ons heen meer of minder transparant zijn omdat we nu eenmaal niet alles kunnen of mogen inkijken, zijn veel systemen ondoordringbaarder dan nodig. Wanneer black boxes opener worden gemaakt kan dat het design ten goede komen. Sinds een paar jaar vind je bij kruispunten op straat bijvoorbeeld steeds vaker een LED-systeem dat aftelt tot het voetgangerslicht op groen springt. Door wat er binnenin het systeem gebeurt inzichtelijk te maken kunnen gebruikers de verkeerssituatie beter inschatten.

Black Box

Context collapse

Wanneer technologische systemen het voor mensen onmogelijk maken, om de verschillende facetten van hun identiteit en de verschillende contexten waarin die tot uiting komen te laten voortbestaan binnen digitale systemen, kan 'context collapse' ontstaan. Mensen gedragen zich in het dagelijks leven anders bij hun schoonouders dan in de kroeg. Technologische systemen, zoals sociale

netwerk websites, dwingen ons vaak om één identiteit te voeren. Een klassiek voorbeeld is Twitter, waar mensen soms negatieve dingen over hun werk zeggen terwijl de baas meeleest.

Contextuele integriteit

Een concept van Helen Nissbaum dat het idee weergeeft dat privacy heel erg bouwt op vertrouwen in de ander. Want je moet af en toe je informatie weggeven. Wanneer we de ander vertrouwen, bijvoorbeeld omdat er regels zijn zoals het beroepsgeheim van een arts, dan voelt het delen van zeer persoonlijke informatie toch niet als een privacyschending.

Chilling effects

Sommige maatschappelijke ontwikkelingen kunnen een subtiele remmende werking hebben op ons gedrag. Chilling effects worden zichtbaar wanneer grote groepen mensen hun gedrag aanpassen omdat ze de druk voelen om dit te doen. De moorden op de cartoonisten die de profeet Mohammed tekenden, kunnen ertoe leiden dat andere cartoonisten minder snel een dergelijke cartoon maken. Hoewel de cartoonisten in theorie het recht hebben om deze cartoons te tekenen, zullen ze in de praktijk sneller een vorm van zelfcensuur toepassen.

Dark patterns

Bij het kopen van een goedkoop vliegticket ben je het vast wel eens tegengekomen: allerlei extra opties zijn aangevinkt, en je moet goed opletten hoe je die afvinkt, want voor je het weet heb je een onnodige annuleringsverzekering gekocht. Wanneer interfaces je bewust proberen te misleiden, wordt er van het gebruik van 'dark patterns' gesproken. De patronen zijn de vaak terugkerende stukjes interface die we overal om ons heen zien. De misleidende versie is dan de donkere versie.

Data

Data representeert een realiteit: het is iets dat gemeten is. Denk bijvoorbeeld aan data van een hartslagmeter. Wanneer deze observaties en feiten worden georganiseerd, geïnterpreteerd en in een context geplaatst, dan leiden ze tot iets nieuws: informatie. Informatie is een conclusie uit data. Een arts zou patronen in de hartslagdata kunnen herkennen bijvoorbeeld, en dan een diagnose kunnen stellen. Zie ook: DIKW piramide.

Data brokers

Bedrijven die zich specialiseren in het bijeenharken van grote hoeveelheden persoonlijke informatie, teneinde deze aan andere bedrijven door te verkopen. Dit kan worden ingezet voor 'digital redlining': het ontzeggen van producten of diensten op basis van iemands dataprofiel of daarvan afgeleide scores.

Dikw piramide (Data, information, knowledge, wisdom)

Een populaire (maar onwetenschappelijke) manier van kijken naar data, is dat ze als een basis dienen voor inzichten van een 'hogere orde'. Wanneer data wordt geïnterpreteerd kunnen er conclusies worden getrokken, zoals wanneer blijkt dat Nederland statistisch gezien beter is in voetballen dan Europese buurlanden. De conclusies vormen 'informatie'. Wanneer deze inzichten, deze informatie, samen worden gepresenteerd zouden daaruit weer nieuwe inzichten gedestilleerd kunnen worden: kennis. Wie genoeg kennis bezit

zou vervolgens daaruit weer iets zeldzaams kunnen afleiden: wijsheid.

Encryptie

Een geavanceerde vorm van geheimtaal. Bij elke vorm van geheimtaal moeten er over het algemeen twee dingen worden afgesproken: de taal en de sleutel. De eerste keuze is die voor de taal. Een bekende vorm van geheimtaal, die je misschien wel kent van vroeger, is de zogenaamde 'Caesar Cipher', waarbij de letters in het alfabet één of meerdere plekken worden doorgeschoven[98]. De letter A wordt vervangen door de letter B, de letter B wordt vervangen door de letter C, enzovoorts.

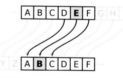

Schema Caesar Cipher

De hoeveelheid plaatsen die letters worden doorgeschoven, kan naar wens worden aangepast. De afspraak over het aantal plaatsen dat wordt verschoven, wordt de sleutel genoemd. Als beide partijen een taal kiezen en vervolgens afspreken hoeveel letters ze doorschuiven, kan er in geheimtaal worden gecommuniceerd. Moderne vormen van cryptografie zijn een stuk complexer, maar komen in principe op hetzelfde neer: Encryptievorm kiezen, en dan een sleutel afspreken[99].

Function creep/feature creep

Soms zijn de privacy-gevaren van een nieuwe technologie zo overduidelijk dat er vooraf een belofte wordt gedaan: we zullen de technologie alleen voor één specifiek doel gebruiken. Bewakingscamera's zullen bijvoorbeeld alleen gebruikt worden om criminelen te identificeren, en voor niets anders. Toch is het in de praktijk vaak zo, dat een technologie doorontwikkeld wordt voorbij de oorspronkelijk gestelde grenzen. Londen biedt daarvan een goed voorbeeld. Daar hangen per inwoner meer bewakingscamera's dan waar ook ter wereld. Uit onderzoek van Detective Chief Inspector Mick Neville van de Londense politie bleek echter dat in slechts 3% van de gevallen een bewakingscamera had bijgedragen aan de oplossing van een misdaad[100]. Onder andere om de hoge kosten te verantwoorden, worden de bewakingscamera's nu ook gebruikt om de eigenaars van wild-poepende honden op te sporen[101]. In Nederland zien we hetzelfde vraagstuk rondom het gebruik van camera's ter herkenning van nummerborden[102].

Hashing

Een vorm van data-anonimiseren waarbij de oorspronkelijke data door een algoritme wordt omgezet naar een versimpelde maar unieke variant. Het werkt als volgt: een naam als 'Tijmen Schep te Utrecht' kan worden omgezet naar een afgeleide hash-code, zoals bijvoorbeeld 12e$GK3$r2e. Alleen die hash, die samenvatting, wordt opgeslagen in de database. Toch kan de gebruiker herkend worden: wanneer de gebruiker zich weer meldt, wordt de naam simpelweg weer omgezet naar de unieke hash-code, en die wordt vervolgens vergeleken met de opgeslagen hash-codes. Komen die overeen, dan is de gebruiker dezelfde. Het fijne is: wie de database ongewenst in handen krijgt heeft alleen 'samenvattingen' van identiteiten, waaruit de echte gegevens niet te reconstrueren zijn.

Metadata

Metadata is data over data.

Data	Metadata
Foto	Hoe laat, waar en met welke camera
Telefoongesprek inhoud (audio)	Hoe laat en met wie was het gesprek

De waarde van metadata wordt door partijen die metadata verzamelen vaak gebagatelliseerd. De opslag of analyse van deze metadata zou een minder sterke inbreuk op de privacy zijn dan analyse van de data zelf. Maar vaak tonen de metadata punten juist al snel een goed beeld, soms zelfs een beter beeld van iemands leven, zelfs als de "lijn", de inhoud, nog niet getrokken is[103].

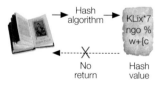

Schema Hashing

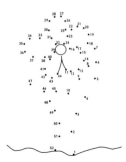

Obfuscatie

Er zijn grofweg twee manieren om de verzameling van data te bemoeilijken. De eerste is vanzelfsprekend: ervoor zorgen dat data überhaupt niet beschikbaar komt. Obfuscatie werkt tegenovergesteld: zoveel ruis-data genereren dat het moeilijk wordt om te acherhalen wat persoonlijke data is en wat niet. Zo zijn er bijvoorbeeld stukjes software als TrackMeNot die vanaf je computer af en toe een willekeurige zoekopdracht uitvoeren. Voor Google is het lastig om jouw zoekopdrachten te onderscheiden van die van het betreffende stukje software, waardoor het beeld dat Google van je heeft wordt vertroebeld.

Panopticon

Architect Jeremy Bentham bedacht een erg efficiënte gevangenis: de koepelgevangenis. In Haarlem, Breda, Arnhem en Lelystad kun je ze vinden. Ze bestaan uit een ronde ring cellen met in het midden een bewakingstoren. In de versie van Bentham hebben de cellen een muur van glas aan de kant van de bewakingstoren, en heeft de toren spiegelglas waardoor de bewakers wel naar de gevangenen kunnen kijken, maar de gevangenen niet naar de bewakers. Daardoor weten gevangenen nooit of ze worden bekeken. Bentham noemde de gevangenis het 'panopticon', Grieks voor 'overal ogen', (Ned. 'panopticum'). Na verloop van tijd, zo was het idee, zouden de gevangenen de blik van de bewaker 'internaliseren', zodat ze ook buiten de gevangenis zich altijd zouden afvragen 'wat ik nu doe, mag dat wel?'.

Aldus Bentham:

> "*Morals reformed–health preserved–industry invigorated–instruction diffused–public burthens lightened–Economy seated, as it were, upon a rock–the gordian*

*knot of the Poor-Laws
not cut, but untied—all
by a simple idea in
Architecture!"*

Het idee werd echter door
veel denkers, waaronder de
filosoof Michel Foucault,
als onmenselijk beoordeeld
vanwege het totale gebrek
aan privacy. De meeste
koepelgevangenissen zijn
gesloten of aangepast, zodat
de gevangenen toch enige
privacy hebben.
Het idee van het Panopticon
is echter nog springlevend,
omdat door de opkomst
van bewakingscamera's,
sensoren en social media
het principe zich breed
verspreid heeft: de gehele
maatschappij wordt continu
in de gaten gehouden.
Uit onderzoek blijkt dat
mensen hun gedrag erop
aanpassen. Jongeren
durven minder los te gaan
op feesten, en journalisten
voelen de druk om aan
zelfcensuur te doen.

Privacy enhancing technologies

Alle technologieën die het
beter beschermen van
privacy als doel hebben.

Security through obscurity

Het idee dat
beveiligingsrisico's te
verminderen zijn door het
beveiligingsmechanisme
geheim te houden. Veel
beveiligingsexperts kijken
op deze vorm neer.

The third platform

Een buzzword dat de
huidige technologische
capaciteiten samenvat. Het
beschrijft de opkomst van
technologische creaties
die sociale media, mobiele
toegang, big data en het
gebruik van de 'cloud'
combineren.

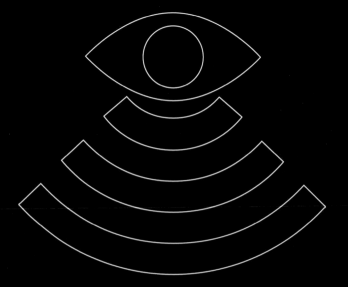

WATCH OUT FOR

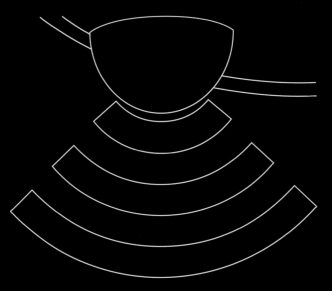

NOT BEING WATCHED

SPEELTUIN

Ga zelf aan de slag met deze fascinerende websites.

Kardashian Krypt. Verstop je privédata in een foto van Kim Kardashian, en stuur die naar iemand, die de data er weer uit kan halen. Een mooi voorbeeld van Security Through Obscurity: het verstoppen van data via een onverwachte drager, waarbij je hoopt dat niemand kijkt of de drager iets anders meesmokkelt.
fffff.at/kardashian-krypt/

Vul je e-mailadres in op Have I Been Powned. Daar kun je achterhalen of je e-mailadres naar buiten kwam bij eerdere data-lekken.
haveibeenpwned.com/

Nieuwsgierig of je vrienden of collega's een van de 9000 Nederlandse vreemdgangers waren? Kijk online of ze in de lijst stonden.
ashley.cynic.al/

Maak een account aan op CrystalKnows.com. Deze dienst biedt inzicht in de persoonlijkheden van de mensen in jouw netwerk. Er wordt hiervoor gebruik gemaakt van algoritmes die de schrijfstijl van mensen analyseren op bijvoorbeeld hun Linked-In profiel.
www.CrystalKnows.com

Wil je een gedetailleerd emotioneel profiel van iemand die in het Engels schrijft? Plak dan een van zijn of haar teksten in deze "emotional insights" analysetool van IBM, die de capaciteiten van haar supercomputer Watson moet demonstreren.
watson-pi-demo.
mybluemix.net

Vele manieren waarop je je online-communicatie beter kunt beschermen, zijn terug te vinden in de Bits of Freedom Toolbox.
toolbox.bof.nl

De Shodan zoekmachine is gespecialiseerd in het zoeken van op internet aangesloten apparaten. Binnen enkele tellen vind je lijsten van deze apparaten, waarvan vele (volgens de statistieken een kwart) slecht beveiligd zijn, of bijvoorbeeld nog met het standaard wachtwoord zijn ingesteld.
www.shodan.io

Met de Internet of Things servicekit kun je concreet aan de slag met designvragen voor internet of things scenario's.
www.iotservicekit.com

Bedrijven zijn in Nederland verplicht om te vertellen welke informatie ze over je verzameld hebben. Digitale Burgerrechten verdedigers Bits of Freedom hebben een dienst gemaakt waarmee deze brieven gemakkelijk gegenereerd kunnen worden.
www.pim.bof.nl

Bovenstaand stel daagt je uit om hen van hun werk af te leiden. Dat kun je proberen door via deze website hun lampen en andere apparaten aan en uit te zetten.
drivemeinsane.com

Probeer eens aan een IRMA-Card te bestellen. De Nederlandse ontwerper van dit onderzoeksproject ontwikkelt een manier om op allerlei momenten in het dagelijks leven alleen de echt nodige informatie – en niets meer - over jezelf te verschaffen.
www.irmacard.org

LEESVOER

Er is veel informatie, kennis en wijsheid te vinden over
de relatie tussen privacy en design. Deze bronnen vormen
goede startpunten.

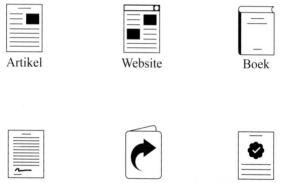

Artikel   Website   Boek

Manifesto   Gids   Vakgebied

Louis Brandeis - **The right to privacy**
Het recht op privacy heeft een geschiedenis die leest
als een feel-good movie. Bekijk de Wikipedia pagina.

Timo Arnal - **No to No UI**
In dit opiniestuk klaagt de Britse ontwerper Timo
Arnall zijn collega's aan die, onder de invloed van
Mark Weiser, technologie onzichtbaar proberen te maken.
Dat is vragen om problemen, stelt hij. In zijn boek 'Making
Visible' onderzoekt hij soortgelijke vraagstukken: hoe maak
je interfaces voor het internet of things?

Mark Weiser - The Computer for the 21st century
In dit nog altijd veel geciteerde artikel uit 1991 beschrijft Weiser een toekomst vol slimme apparaten.

De Autoriteit Persoonsgegevens
biedt op zijn website meerdere praktische documenten aan die de huidige privacywetgeving tot in detail beschrijven. Een voorbeeld is het Richtsnoer Beveiliging van Persoonsgegevens.

Paul Dourish - Where the action is
Dit boek bouwt voort op het werk van Lucy Suchman, en biedt een nuchter perspectief op de 'rommelige realiteit' waarin we leven. De auteur onderzoekt praktische manieren waarop die realiteit te automatiseren is.

Lucy Suchman - Situated Actions
Als Mark Weiser de vader van het 'Internet of Things' idee is, dan is Lucy Suchman de kritische moeder. Ze werkte in dezelfde organisatie als Weiser tijdens diens onderzoek, maar keek er heel anders naar: ze zag hoe 'slimme' kopieermachines, die Xerox aan het maken was, bijna altijd evenveel frustratie opleverden als wegnamen. In haar boek legt ze uit hoe het voor slimme apparaten en met name hun slimme ontwerpers bijna onmogelijk is om elke situatie te voorzien waarin een apparaat terecht kan komen.

Ervin Goffman – The presentation of self in everyday life.
Socioloog Goffman legt in dit boek mooi uit hoe onze identiteit ontstaat, in relatie tot de mensen om ons heen. We spelen een soort theater naar elkaar.

Adam Greenfield - Everyware.
Een beginners-vriendelijk boek dat in meer dan 90 zeer korte hoofdstukken niet alleen de mogelijkheden, maar ook de grote vraagstukken en grenzen van "slimme" technologie blootlegt.

Danah Boyd - It's complicated
In dit spraakmakende boek beschrijft Boyd hoe jongeren met privacy en online identiteit omgaan. Jongeren blijken daar genuanceerdere denkbeelden over te hebben dan vaak wordt gedacht.

Premsela Stichting - Trust Design
Dit zeldzame boekje beschrijft, als je het kunt vinden, de relatie tussen de kredietcrisis van 2008, het aansluitende verlies aan vertrouwen door burgers en de rol die design daarin zou kunnen spelen. In hoeverre heeft de manier waarop we nu met privacy omgaan op de lange termijn gevolgen voor het vertrouwen in technologische producten?

Donald Norman - The Design of Everyday Things
In dit legendarische boek beschrijft de auteur hoe objecten communiceren met de gebruiker, en hoe ontwerpers daar beter over kunnen nadenken. Hij legt de nadruk op psychologische aspecten van design, destijds een relatief onontwikkeld kennisgebied.

Bruce Schneier - Data and Goliath
Volgens de internationaal gerenommeerde beveiligingsexpert Schneier staan we eigenlijk al continu onder surveillance, maar noemen we dit niet zo. Zijn diepgaande technologische kennis gebruikt hij om begrijpelijke, gefundeerde inzichten te bieden in ons denken over privacy en veiligheid.

Het Internet of Things manifesto

Dit door Nederlandse partijen opgestelde manifest kreeg internationaal veel aandacht. Het stuk roept op om netjes om te gaan met de toegenomen verantwoordelijkheid die in een Internet of Things wereld ontstaat.

Privacy by Design: 7 principles

Deze zeven principes zijn door een internationale groep gerenomeerde experts opgesteld. De principes in dit boek zijn uiteraard beter.

Ethical Design Manifesto

Het Ethical Design Manifesto van Aral Balkan beschrijft de belangrijke rol die ontwerpers moeten gaan spelen bij het indammen van 'Surveillance Capitalism'.

De Nederlandse Autoriteit Persoonsgegevens

biedt op haar website allerlei handige documenten aan die in details uitleggen waar je op moet letten als je persoonsgegevens wilt verwerken.

Het bedrijf **Privacy Company** heeft een gids uitgegeven die alle relevante wetgeving op zowel nationaal als Europees niveau bundelt.

Jeroen van der Hoven - Value Sensitive Design

Technologie moeten we niet alleen werkend en goed bruikbaar maken, we moeten ook zorgen dat technologie menselijke normen en verworvenheden als privacy, vertrouwen en autonomie respecteert. Dat is een hele uitdaging.

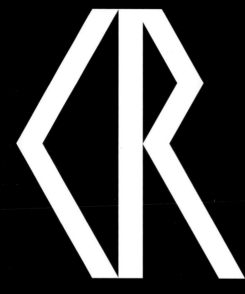

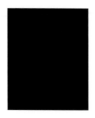

COLOFON

Deze publicatie is tot stand gekomen in het kader van de Crypto Design Challenge, een internationaal samenwerkingsverband van MOTI, Museum of the Image, partnerorganisaties en onderwijsinstellingen die designers betrekken bij privacyvraagstukken.
www.cryptodesign.org

Initiatief
Mieke Gerritzen, MOTI, Museum of the Image
Sabine Niederer, Hogeschool van Amsterdam
Geert Lovink, Institute of Network Cultures,
Hogeschool van Amsterdam

Auteur
Tijmen Schep, creative lead van medialab SETUP, adviseur creatieve industrie bij Kennisland

Redactie
Marc Stumpel, docent en onderzoeker Hogeschool van Amsterdam, Communication and Multimedia Design, CREATE-IT
Leonieke van Dipten, Institute of Network Cultures,
Hogeschool van Amsterdam
Miriam Rasch, Institute of Network Cultures,
Hogeschool van Amsterdam

Productie
Ward Janssen, MOTI, Museum of the Image

Ontwerp
S†ëfan Schäfer, www.stefanschafer.net

Eindredactie
Marianne Janssen

Correctie
Mariëtte Ipenburg

Uitgever

Design My Privacy is een uitgave van BIS Publishers.

BIS Publishers
Building Het Sieraad
Postjesweg 1
1057 DT Amsterdam
The Netherlands
T +31 (0)20 515 02 30
bis@bispublishers.com
www.bispublishers.com

ISBN 978 90 6369 447 0

De in dit boek beschreven adviezen zijn slechts de mening van de
auteur. Aan de adviezen kunnen geen rechten worden ontleend. Deze
publicatie biedt een momentopname van een hedendaags vraagstuk.
Wet- en regelgeving op het privacy terrein zijn echter voortdurend in
ontwikkeling en verschillen per land. Stel u hiervan goed op de hoogte.

Dank

MOTI, Museum of the Image bedankt de volgende personen voor hun waardevolle input en advies bij het samenstellen van deze publicatie en het realiseren van de Crypto Design Challenge:
Sanne van der Beek, Roel Bergsma, Jan Boelen, Martijn van Boven, Marije ten Brink, Dagan Cohen, Florian Cramer, Veerle Devreese, Michael Dieter, Bogomir Doringer, Hajo Doorn, Simone Dresens, Dennis Elbers, René van Engelenburg, James Bryan Graves, Anja Groten, Mieke van Heesewijk, Jaap Henk Hoepman, Jan Hopmans, Arjen Kamphuis, Roosje Klap, Jacob Kok, Frank Koppejan, Hay Kranen, Cees Meeuwis, Rosa Menkman, Koert van Mensvoort, Sarah Merabai, Olga Mink, Eva van Mossevelde, Caroline Nevejan, Dimitri Nieuwenhuizen, Joyce Overheul, Ruben Pater, Ine Poppe, Ruurd Priester, Dimitri Tokmetzis, Renny Ramakers, Luis Rodil-Fernández, Nadine Roestenburg, Niels Schrader, Jarl Schulp, Veerle van der Sluys, Floor van Spaendonck, Angelique Spaninks, Jelle van der Ster, Marleen Stikker, Justus Sturkenboom, Marit Turk, Yuri Veerman, Willem Velthoven, Annelys de Vet, Coralie Vogelaar, Florian Weigl, Brenno de Winter, Klasien van de Zandschulp, Hans de Zwart.

Partners

De Crypto Design Challenge is een project van MOTI Museum in samenwerking met partners Amsterdam Creative Industries Network, Institute of Network Cultures, SETUP, Avans Hogeschool, Vlaams Cultuurhuis Brakke Grond, CREATE-IT, Citizen Data Lab, Luca School of Arts, WdKA, Waag Society, ArtEZ, Graphic Design Festival Breda, Het Nieuwe Instituut, Next Nature Network, TU Eindhoven, Mediamatic, Z33, KaBK, Worm, iMAL, Hackers & Designers, Bits of Freedom.

De Crypto Design Challenge, deze publicatie en alle aanverwante projecten en presentaties van MOTI en Crypto Design Challenge partners zijn mogelijk gemaakt door de genereuze steun van:

THE ART OF IMPACT

Democracy & Media
Foundation **Stichting**
Democratie & Media

BESTE BUREN

**AMSTERDAM
CREATIVE
INDUSTRIES**
CENTRE OF EXPERTISE

stimuleringsfonds
creatieve industrie

BankGiroLoterij

 Gemeente Breda

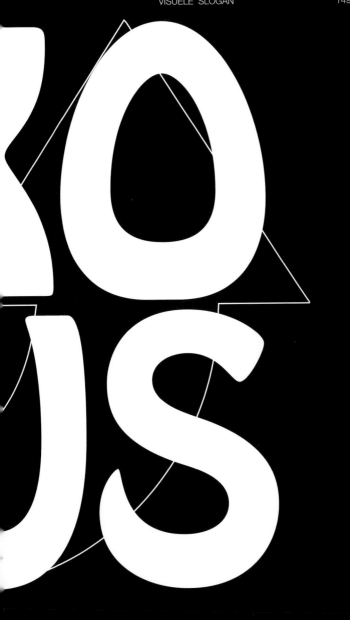

BRONNEN

1. David Robertson, C. (2015, September 9). Watch Out: If you've got a smart watch, hackers could get your data. Opgeroepen op February 7, 2016, van CSL Coordinated Sciencelab: https://csl.illinois.edu/news/watch-out-if-you've-got-smart-watch-hackers-could-get-your-data

2. Greenberg, A. (2015, Juli 2015). Hackers Remotely Kill a Jeep on the Highway–With Me in It. Opgeroepen op Februari 7, 2016, van Wired: http://www.wired.com/2015/07/hackers-remotely-kill-jeep-highway

3. PORUP, J. (2015, November 19). Ransomware Is Coming to Medical Devices. Opgeroepen op Februari 7, 2016, van Motherboard Vice: https://motherboard.vice.com/read/ransomware-is-coming-to-medical-devices

4. Hern, A. (2015, Juni 15). I read all the small print on the internet and it made me want to die. Opgeroepen op Februari 7, 2016, van The Guardian: http://www.theguardian.com/technology/2015/jun/15/i-read-all-the-small-print-on-the-internet

5. Ramesh, S. (2014, Januari 16). Proofpoint Uncovers Internet of Things (IoT) Cyberattack. Opgeroepen op Februari 7, 2016, van Proofpoint: http://investors.proofpoint.com/releasedetail.cfm?releaseid=819799

6. Goodin, D. (2014, Januari 17). Is your refrigerator really part of a massive spam-sending botnet? Opgeroepen op Februari 7, 2016, van ARS Technica: http://arstechnica.com/security/2014/01/is-your-refrigerator-really-part-of-a-massive-spam-sending-botnet/

7. Hollister, S. (2013, Augustus 1). FBI can remotely activate Android and laptop microphones, reports WSJ. Opgeroepen op Februari 7, 2016, van The Verge: http://www.theverge.com/2013/8/1/4580718/fbi-can-remotely-activate-android-and-laptop-microphones-reports-wsj

8. Funny. (2014, Augustus 14). Guy trolls his ex-wife via programmable thermostat. Opgeroepen op Februari 7, 2016, van Reddit: https://www.reddit.com/r/funny/comments/2cltag/guy_trolls_his_exwife_via_programmable_thermostat

9. Szypko, R. (2014, Oktober 21). Your Car Won't Start. Did You Make The Loan Payment? Opgeroepen op Februari 7, 2016, van NPR: http://www.npr.org/sections/alltechconsidered/2014/10/16/356693782/your-car-wont-start-did-you-make-the-loan-payment

10. staff, C. (2015, April 23). Baby monitor hacker delivers creepy message to child. Opgeroepen op Februari 7, 2016, van CBS News: http://www.cbsnews.com/news/baby-monitor-hacker-delivers-creepy-message-to-child/

11. Johnson, B. (2010, Januari 11). Privacy no longer a social norm, says Facebook founder. Opgeroepen op Februari 7, 2016, van The Guardian: http://www.theguardian.com/technology/2010/jan/11/facebook-privacy

12. Redactie. (2014, Maart 9). hard drive cost per gigabyte. Opgeroepen op Februari 7, 2016, van Mkomo: http://www.mkomo.com/cost-per-gigabyte-update

13. Rashid, F. Y. (2014, April 9). Surveillance is the Business Model of the Internet: Bruce Schneier. Opgeroepen op Februari 7, 2016, van Security Week: http://www.securityweek.com/surveillance-business-model-internet-bruce-schneier

14. Grüter, R. (2013, Mei 1). Fatale liefde voor bevolkingsregisters. Opgeroepen op Februari 7, 2016, van Historisch Nieuwsblad: http://www.historischnieuwsblad.nl/nl/artikel/31122/fatale-liefde-voor-bevolkingsregisters.html

15. Technology. (2015, December 15). Ashley Madison hack victims receive blackmail letters. Opgeroepen op Februari 7, 2016, van BBC News: http://www.bbc.com/news/technology-35101662

16. Wokke, A. (2015, Augustus 21). Nuance: gegevens 594 Nederlanders op straat bij hack Ashley Madison. Opgeroepen op Februari 7, 2016, van Tweakers: https://

tweakers.net/nieuws/104881/nuance-gegevens-594-nederlanders-op-straat-bij-hack-ashley-madison.html

17. Miller, C. C. (2015, Juli 9). When Algorithms Discriminate. Opgeroepen op Februari 7, 2016, van NY Times: http://www.nytimes.com/2015/07/10/upshot/when-algorithms-discriminate.html?_r=4&abt=0002&abg=0

18. Redactie. (2013, September 21). Onterecht wanbetaler door 'foute' postcode. Opgeroepen op Februari 7, 2016, van Kassa Vara: http://kassa.vara.nl/nieuws/onterecht-wanbetaler-door-foute-postcode

19. Geltink, B. K. (2015, Augustus 27). Solliciteren? Pas op voor de automatische screening. Opgeroepen op Februari 7, 2016, van Frankwatching: http://www.frankwatching.com/archive/2015/08/27/solliciteren-pas-op-voor-de-automatische-screening/

20. Obbema, F. (2015, April 15). China rates its own citizens - including online behaviour. Opgeroepen op Februar 7, 2016, van de Volkskrant: http://www.volkskrant.nl/buitenland/china-rates-its-own-citizens-including-online-behaviour~a3979668

21. Hatton, C. (2015, Oktober 26). China 'social credit': Beijing sets up huge system. Opgeroepen op Februari 7, 2016, van BBC News: http://www.bbc.com/news/world-asia-china-34592186

22. Credits, E. (2015, December 15). Propaganda Games: Sesame Credit - The True Danger of Gamification. Opgeroepen op Februari 7, 2016, van Youtube: https://www.youtube.com/watch?v=lHcTKWiZ8sI

23. Credits, E. (2015, December 15). Propaganda Games: Sesame Credit - The True Danger of Gamification. Opgeroepen op Februari 7, 2016, van Youtube: https://www.youtube.com/watch?v=lHcTKWiZ8sI

24. Clavell, G. G. (2015, Mei 16). THE BUSINESS OF PRIVACY BY DISASTER. Opgeroepen op Februari 7, 2016, van Re publica: https://re-publica.de/session/business-privacy-disaster

25. Redactie. (2015, November 15). The Right to Privacy (article). Opgeroepen op Februari 7, 2016, van Wikipedia: https://en.wikipedia.org/wiki/The_Right_to_Privacy_(article)

26. Redactie. (2015, November 5). Super Stream Me. Opgeroepen op Februari 7, 2016, van VPRO: http://www.vpro.nl/superstreamme.html

27. Loon, M. v. (2015, September 15). Super Stream Me stopt. Tim en Nicolaas waren er helemaal klaar mee. Opgeroepen op Februari 7, 2016, van NCR: https://www.nrc.nl/nieuws/2015/09/10/super-stream-me-stopt-tim-en-nicolaas-waren-er-helemaal-klaar-mee

28. Nissenbaum, H. (2009). Privacy in Context. /: /.

29. Redactie. (2015, November 15). Panoramavrijheid. Opgehaald van Wikipedia: https://nl.wikipedia.org/wiki/Panoramavrijheid

30. Alexander, K. (2014, Maart 26). Sarah Slocum: the infamous face of Google Glass. Opgeroepen op Februari 7, 2016, van SF Gate: http://www.sfgate.com/news/article/Sarah-Slocum-the-infamous-face-of-Google-Glass-5348911.php

31. Morozov, E. (2013, Juli 24). The Price of Hypocrisy. Opgeroepen op Februari 7, 2016, van FAZ: http://www.faz.net/aktuell/feuilleton/debatten/ueberwachung/information-consumerism-the-price-of-hypocrisy-12292374.html

32. King, M. (2015, September 23). PGP: Still hard to use after 16 years. Opgeroepen op Februari 7, 2016, van White Hat Security: https://blog.whitehatsec.com/pgp-still-hard-to-use-after-16-years/

33. Redactie. (2015, April 15). Verkoop Blackphone van start. Opgeroepen op Februari 7, 2016, van KPN: http://corporate.kpn.com/kpn-actueel/nieuwsberichten-1/verkoop-blackphone-van-start-1.htm

34. Angwin, J. (2014, Maart 3). Has Privacy Become a Luxury Good? Opgeroepen op Februari 7, 2016, van The New York Times: http://www.nytimes.com/2014/03/04/opinion/has-privacy-become-a-luxury-good.html?_r=0

35. Hackett, R. (2015, September 19). Apple CEO Tim Cook's privacy letter is a huge shot at Google. Opgeroepen op Februari 7, 2016, van Fortune: http://fortune.com/2015/09/29/apple-tim-cook-google/

36. Matt Apuzzo, D. E. (2015, September 7). Apple and Other Tech Companies Tangle With U.S. Over Data Access. Opgeroepen op Februari 7, 2016, van The New York Times: http://www.nytimes.com/2015/09/08/us/politics/apple-and-other-tech-companies-tangle-with-us-over-access-to-data.html

37. Redactie. (2012, Maart 23). China sells Iran hi-tech surveillance system defying US sanctions? Opgeroepen op Februari 7, 2016, van RT: https://www.rt.com/news/chinese-iran-sanctions-surveillance-251/

38. Nederland, U. v. (2015, Maart 2). Was Willem van Oranje een terroristenleider? . Opgeroepen op Februari 7, 2016, van Youtube: https://www.youtube.com/watch?v=BNUE3Ani7UA

39. Redactie. (2016, Februari 6). Stasi. Opgeroepen op Februari 7, 2016, van Wikipedia: https://en.wikipedia.org/wiki/Stasi

40. Redactie. (2015, December 15). Zersetzung. Opgeroepen op Februari 7, 2016, van Wikipedia: https://en.wikipedia.org/wiki/Zersetzung

41. Laura Poitras, G. G. (2013, Juni 9). NSA whistleblower Edward Snowden: 'I don't want to live in a society that does these sort of things' . Opgeroepen op Februari 7, 2016, van The Guardian: http://www.theguardian.com/world/video/2013/jun/09/nsa-whistleblower-edward-snowden-interview-video

42. Redactie. (2016, Februari 16). Karma Police (surveillance program). Opgeroepen op Februari 7, 2016, van Wikipedia: https://en.wikipedia.org/wiki/Karma_Police_(surveillance_program)

43. Hollister, S. (2013, Augustus 1). FBI can remotely activate Android and laptop microphones, reports WSJ. Opgeroepen op Februari 7, 2016, van The Verge: http://www.theverge.com/2013/8/1/4580718/fbi-can-remotely-activate-android-and-laptop-microphones-reports-wsj

44. Laura Poitras, G. G. (2013, Juni 9). NSA whistleblower Edward Snowden: 'I don't want to live in a society that does these sort of things'. Opgeroepen op Februari 7, 2016, van The Guardian: NSA whistleblower Edward Snowden: 'I don't want to live in a society that does these sort of things' – video

45. Redactie. (2009, Januari 28). Nederlanders vertrouwen overheid op privacygebied. Opgeroepen op Februari 7, 2016, van Web Wereld: http://webwereld.nl/security/32115-nederlanders-vertrouwen-overheid-op-privacygebied

46. Grüter, R. (2013, Mei 1). Fatale liefde voor bevolkingsregisters. Opgeroepen op Februari 7, 2016, van Historisch Nieuwsblad: http://www.historischnieuwsblad.nl/nl/artikel/31122/fatale-liefde-voor-bevolkingsregisters.html

47. Fitzpatrick, A. (2015, December 15). Tim Cook: 'We Should Have Both' Privacy and Security. Opgeroepen op Februari 7, 2016, van Time: http://time.com/4156499/tim-cook-apple-privacy-security-terrorism-taxes/

48. Schneier, B. (2008, Januari 29). Security vs. Privacy. Opgeroepen op Februari 7, 2016, van Schneier: https://www.schneier.com/blog/archives/2008/01/security_vs_pri.html
Arthur, C. (2013, September 13). Privacy and surveillance: Jacob Applebaum, Caspar Bowden and more. Opgeroepen op Februari 7, 2016, van The Guardian: http://www.theguardian.com/world/2013/sep/30/privacy-and-surveillance-jacob-applebaum-caspar-bowden-and-more-speak-in-switzerland

49. Resultaat uit eerder persoonlijk onderzoek auteur.

49. Resultaat uit eerder persoonlijk onderzoek auteur.

51. Greenberg, A. (2015, Juli 2015). Hackers Remotely Kill a Jeep on the Highway— With Me in It. Opgeroepen op Februari 7, 2016, van Wired: http://www.wired.com/2015/07/hackers-remotely-kill-jeep-highway

52. Redactie. (2015, November 17). 'Een kwart van Internet of Things-apparaten is

lek'. Opgeroepen op Februari 7, 2016, van Security: https://www.security.nl/posti
ng/451363/'Een+kwart+van+Internet+of+Things-apparaten+is+lek%E2%80%99

53. Olanoff, D. (2015, Juli 24). Chrysler's Solution To The Jeep Hack Is 1.4
    Million USB Drives. Opgeroepen op Februari 7, 2016, van Tech Crunch: http://
    techcrunch.com/2015/07/24/screw-your-usb-im-taking-caltrain/

54. Redactie. (2016, Februari 7). Doxing. Opgeroepen op Februari 7, 2016, van
    Wikipedia: https://en.wikipedia.org/wiki/Doxing

55. Redactie. (2016, Februari 10). Revenge porn. Opgeroepen op Februari 7, 2016,
    van Wikipedia: https://en.wikipedia.org/wiki/Revenge_porn

56. Redactie. (2016, Februari 6). Swatting. Opgeroepen op Februari 7, 2016, van
    Wikipedia: https://en.wikipedia.org/wiki/Swatting

57. Redactie. (2016, Februari 6). Russian Business Network. Opgeroepen op
    Februari 7, 2016, van Wikipedia: https://en.wikipedia.org/wiki/Russian_Business_
    Network

58. Peters, S. (2014, Oktober 15). Russian Hackers Made $2.5B Over The Last
    12 Months. Opgeroepen op Februari 7, 2016, van Dark Reading: http://www.
    darkreading.com/russian-hackers-made-$25b-over-the-last-12-months-/d/d-
    id/1316631

59. Redactie. (2013, Mei 1). Eigendom van data in de Cloud. Opgeroepen op
    Februari 7, 2016, van Lexx-It: http://lexx-it.nl/lexxit-knowledge/internet-risk-
    management/eigendom-van-data-de-cloud/

60. Dixon, P. (2013, December 18). Congressional Testimony: What Information Do
    Data Brokers Have on Consumers? Opgeroepen op Februari 7, 2016, van World
    Privacy Forum: https://www.worldprivacyforum.org/2013/12/testimony-what-
    information-do-data-brokers-have-on-consumers/

61. Redactie. (2013, September 25). Data Broker Giants Hacked by ID Theft Service.
    Opgeroepen op Februari 7, 2016, van Krebson Security: http://krebsonsecurity.
    com/2013/09/data-broker-giants-hacked-by-id-theft-service/

62. Redactie. (2014, Maart 10). Experian Lapse Allowed ID Theft Service Access to
    200 Million Consumer Records. Opgeroepen op Februari 7, 2016, van Kerbson
    Security: http://krebsonsecurity.com/2014/03/experian-lapse-allowed-id-theft-
    service-to-access-200-million-consumer-records/

63. Roose, K. (2015, Oktober 19). Haunted by hackers: A suburban family's digital
    ghost story. Opgeroepen op Februari 7, 2016, van Fusion: http://fusion.net/
    story/212802/haunted-by-hackers-a-suburban-familys-digital-ghost-story/

64. Redactie. (2016, Februari 7). Profielen voor Martin Vink. Opgeroepen op
    Februari 7, 2016, van Linkedin: https://nl.linkedin.com/pub/dir/Martin/Vink

65. Woollaston, V. (2014, Maart 5). Apple can track you even AFTER your iPhone
    battery dies: Sensors use built-in chip to collect data when the 5S is 'dead'
    Read more: http://www.dailymail.co.uk/sciencetech/article-2573761/Apple-
    track-AFTER-iPhone-battery-dies-Sensors-continue-collect-data-phone-dead.
    html#ixzz40QIW6nkd Opgeroepen op Februari 7, 2016, van Mail Online: http://
    www.dailymail.co.uk/sciencetech/article-2573761/Apple-track-AFTER-iPhone-
    battery-dies-Sensors-continue-collect-data-phone-dead.html

66. Redactie. (2016, Februari 7). Meldplicht datalekken. Opgeroepen op Februari 7,
    2016, van Autoriteit Persoonsgegevens: https://autoriteitpersoonsgegevens.nl/nl/
    melden/meldplicht-datalekken

67. Redactie. (2014, Mei 1). Inbloom Shuts Down Amid Privacy Fears Over Student
    Data Tracking. Opgeroepen op Februari 7, 2016, van Bloomberg: http://www.
    bloomberg.com/bw/articles/2014-05-01/inbloom-shuts-down-amid-privacy-
    fears-over-student-data-tracking

68. Bogle, A. (2015, Mei 4). Domino's tracker lets you follow your pizza from
    the oven to your door. Opgeroepen op Februari 7, 2016, van Mashable: http://
    mashable.com/2015/05/03/dominos-app-pizza-tracker/#4NjzISK9tOqT

69. Ian Traynor, O. B. (2015, Oktober 6). Facebook row: US data storage leaves

users open to surveillance, court rules. Opgeroepen op Februari 7, 2016, van The Guardian: http://www.theguardian.com/world/2015/oct/06/us-digital-data-storage-systems-enable-state-interference-eu-court-rules

70. Cox, J. (2015, November 18). Encryption App Telegram Probably Isn't as Secure for Terrorists as ISIS Thinks. Opgeroepen op Februari 7, 2016, van Motherboard Vice: https://motherboard.vice.com/read/encryption-app-telegram-probably-isnt-as-secure-for-terrorists-as-isis-thinks

71. Zorabedian, J. (2015, September 10). Apple iMessage's end-to-end encryption stymies US data request. Opgeroepen op Februari 7, 2016, van Naked Security: https://nakedsecurity.sophos.com/2015/09/10/apple-imessages-end-to-end-encryption-stymies-us-data-request/

72. Redactie. (2016, Februari 7). Feel Safe Again. Opgeroepen op Februari 7, 2016, van Spideroak: https://spideroak.com/

73. Redactie. (2015, December 18). The Presentation of Self in Everyday Life. Opgeroepen op Februari 7, 2016, van Wikipedia: https://en.wikipedia.org/wiki/The_Presentation_of_Self_in_Everyday_Life

74. Redactie. (2015, Oktober 27). Nymwars. Opgeroepen op Februari 7, 2016, van Wikipedia: https://en.wikipedia.org/wiki/Nymwars

75. Galperin, E. (2011, Augustus 2). Randi Zuckerberg Runs in the Wrong Direction on Pseudonymity Online. Opgeroepen op Februari 7, 2016, van Electronic Frontier Foundation: https://www.eff.org/deeplinks/2011/08/randi-zuckerberg-runs-wrong-direction-pseudonymity

76. Boyd, D. (2010, Januari 1). Social Network Sites as Networked Publics: Affordances, Dynamics, and Implications. Opgeroepen op Februari 7, 2016, van Danah: http://www.danah.org/papers/2010/SNSasNetworkedPublics.pdf

77. Arnall, T. (2013, Maart 13). No to NoUI. Opgeroepen op Februari 7, 2016, van Elastic Space: http://www.elasticspace.com/2013/03/no-to-no-ui

78. Hardesty, L. (2015, November 19). What are your apps hiding? Opgeroepen op Februari 7, 2016, van MIT News: http://news.mit.0edu/2015/data-transferred-android-apps-hiding-1119

79. Chalmers, M. (2003, Januari 1). Seamful Design and Ubicomp Infrastructure. Opgeroepen op Februari 7, 2016, van University of Glasgow: http://www.dcs.gla.ac.uk/~matthew/papers/ubicomp2003HCISystems.pdf

80. Genevieve Bell, P. D. (2006, April 25). Yesterday's tomorrows: notes on ubiquitous computing's dominant vision. Opgeroepen op Februari 7, 2016, van Dourish: http://www.dourish.com/publications/2007/BellDourish-YesterdaysTomorrows-PUC.pdf

81. Redactie. (2016, Januari 18). Nest smart thermostat glitch leaves cold feet and steaming mad customers. Opgeroepen op Februari 7, 2016, van Naked Security: https://nakedsecurity.sophos.com/2016/01/18/nest-smart-thermostat-glitch-leaves-cold-feet-and-steaming-mad-customers/

82. Suchman, L. A. (1985, Februari 1). The problem of human-machine communication. Opgeroepen op Februari 7, 2016, van Palo Alto Research Centre: http://bitsavers.trailing-edge.com/pdf/xerox/parc/techReports/ISL-6_Plans_and_Situated_Actions.pdf

83. Redactie. (2016, Februari 7). Make your work flow. Opgeroepen op Februari 7, 2016, van IFTTT: http://www.ifttt.com

84. Schep, T. (2008, Juni 8). Ubicomp Ontwerpers. Opgeroepen op Februari 7, 2016, van Pineapple Jazz: www.pineapplejazz.com/site/research/writings/documents/Tijmen Schep - Ubicomp Ontwerpers - 2008.pdf

85. Redactie. (2014, Augustus 5). Digitale kloof. Opgeroepen op Februari 7, 2016, van Wikipedia: https://nl.wikipedia.org/wiki/Digitale_kloof

86. Redactie. (2015, December 15). Value sensitive design. Opgeroepen op Februari 7, 2016, van Wikipedia: https://en.wikipedia.org/wiki/Value_sensitive_design

87. Miltenburg, O. v. (2015, November 18). DJI voegt realtime updates toe aan